扉をひらく哲学

——人生の鍵は古典のなかにある

中島隆博・梶原三恵子
納富信留・吉水千鶴子 編著

岩波ジュニア新書 968

はじめに

パーソナルなことから話をさせてください。

私は中学3年生から高校3年生まで、自分でもどうしてよいのかわからないほど、悩み苦しんだ日々を送っていました。学校での勉強はまったく手につかず、手当たり次第《しだい》に本を読み、考えをまとめようとひたすら文章を書いていました。生きるとはどういうことなのか、自分とはいったいいかなるものなのか、何かを感じたり考えたりするとは何をしていることなのか、言語とは何なのか、社会とはどういうことなのか、そしてなぜこんなにも苦しいのか。抱えきれないほどの大きな問いを前にして、途方《とほう》に暮れていたのです。

友人や先生あるいは家族にもその一端《いったん》を打ち明けて、心が押し潰《つぶ》される前に、何とか筋道《すじみち》を立てることで、状況を理解して、自分を立て直したいとずっと思っていました。ひょっとして、この本を手に取ってくださったみなさんの中にも、そのような経験を何がしか味わった方がいるかもしれませんね。

しかし、誰に尋《たず》ねても、何を読んでも、そう簡単には、混乱の中にある自分を整えることはできませんでした。何かが自分には決定的に欠けているのではないか。そんな声がずっと頭の中に響いていました。その際に、たまたまめぐり逢ったのが、森有正《もりありまさ》という哲学者の全集と、中国古典でした。

森有正はデカルトやパスカルといったフランス哲学の研究者で、長い間フランスに留まって、思考が熟すのをじっと耐えた人です。森の文章は決して難解なものではありません。どちらかというと、平明でわかりやすい日本語で書かれています。ところが、言葉としてはわかるのに、そこで表現されている意味がどうしても摑《つか》めないのです。喩《たと》えて言うと、蜃気楼《しんきろう》のようなもので、目の前にありありと見えているにもかかわらず、そこにどうしても到達できないのです。

高校生の直観として、ここには極めて重要なことが書かれているし、それを理解することができれば、きっと自分を整えることができるはずだと思いました。しかし、同時に、そのためには十分な時間をかけて、感覚し、経験し、概念化する努力が必要なのだということにも気づきました。

森自身がこう述べています。経験が経験として成立するためには、感じることが第一歩としてある。しかし、感じるだけでは経験の変容は生じない。そこには、深い内面の促《うなが》しとしての意志が必要で、それが経験を体験からわける。経験はその後変容し、言葉すなわち思想となる。つまり、単なる体験ではなく、それに発して言葉を定義するにまで至る、熟した経験が必要なのだというのです。それは、長い長い実践《じっせん》と忍耐を要求するものでした。そして、それが私にとっての「哲学すること」の原点になったのです。

もう一つの中国古典ですが、私にとっては外国語の経験でした。ある理由で(想像がつくかもしれませんが)英語が生理的に嫌いになっていたために、自分が触れられる外国語は中国古典だったのです。そこには、日本語という母語で考えるのとは異なる、世界に対するもう一つの向かい合い方があるように思えたのです。それを触媒《しょくばい》とすることで、混乱した自分のあり方に秩序を取り戻すことができるのではないか。そんな淡い期待を抱きながら、岩波文庫の『唐詩選《とうしせん》』をひたすら暗唱したり、徳間書店から出ていた中国の思想シリーズを読んだりしていたのです。

もうおわかりのように、実に不器用な読書経験を重ねていました。それでも哲学と古典が自分にとって一日一日を何とか生き延びるよすがとなっていたことは確かでした。ちなみに、その後、森有正の言っている意味が腹に落ち、森の思考の限界が見えるようになったのは、30歳を超えた頃のことでした。英語に slow learner という言葉があり、ハーバード大学のある高名な先生が自分は slow learner だからとおっしゃっていたのに心底驚いた記憶があります。その先生は謙遜《けんそん》でおっしゃったのかもしれませんが、私は文字通りの slow learner で、15年以上かけないと、その意味を理解できなかったのです。そして、その頃、偶然に偶然が重なって、私は中国古典を研究する学者になっていました。slow learner だからこそ、じっくり古典に向かい合えたのかもしれません。

このように、哲学と古典の二つが、私にとっては本当に重要なよすがでした。今でもそこから多くのことを学んでいます。はたしてそれが、今の若いみなさんにも同じようによすがになるかどうかはわかりませんし、もっとスマートなやり方もあるのかもしれません。それでも、哲学にせよ古典にせよ、そこには前の世代の長い長い実践と忍耐が込められていることは疑いえません。また、それが、みなさんが悩みの中にいる時に、ぐらつく足場を支える杖《つえ》となってくれることは確かです。

さて、この本の構成について少し見取り図をお示ししたいと思います。全部で第1部から第3部までの3部構成になっています。ただし、最初からでなくても、気になったところなど、どこから読んでいただいてもかまいません。

第1部は、古典とは何かを、5つの疑問に答える形で、様々な角度から論じています。とりわけ、なぜ今古典なのかは、この本を何らかのきっかけで手にとってくださったみなさんにとっても、確認しておきたい問いではないでしょうか。

第2部は、みなさんが抱えているかもしれない、生きていくうえでの具体的な悩みや問いを8つ取り上げてみました。それぞれについて、哲学や古典を研究する3人の先生たちが回答を寄せています。たとえ同じ問いで同じ作品を取り上げても、その答え方に大きな違いがあることがわかることでしょう。というのも、何か決まった答えをみなさんに届けることが重要なのではなく、いくつかの鍵を渡して、みなさん自身に試してもらいたいからです。うまく扉の開く鍵がひょっとしたらあるかもしれませんし、半分くらい扉が開く場合もあるかもしれません。そこから一人ひとりが考え始めてほしいと思います。

先生たちの専門は様々で、インド研究、中国研究、韓国哲学研究、仏教研究、キリスト教研究、ギリシア研究、宗教研究など、多方面にわたっています。いずれの先生も日本学術会議の哲学部会にあります「古典精神と未来社会」という分科会に属しているメンバーです。

第3部では、その先生たちが10代の若い方々に勧めたい古典を紹介しています。今の若い方々だけでなく、昔の若い方々をも念頭に置いて、書かれているのではないかと思います。

それぞれの文章には、執筆者の先生たちのパーソナルなことが滲《にじ》み出ています。「パーソナルなことは社会的である」といわれる言葉を頼りにすれば、プライベートな、つまり私的なことは体験に属し、パーソナルな、つまり人格に関わりつつも社会的であることは経験に属しているのかもしれません。そして、経験は外に向かって開かれていくのです。

最後に、この本ができるにあたって、2つの高校の先生たちと生徒のみなさんに大変お世話になりました。私たちが準備した問いを練り上げていただいて、より今の高校生の感じている悩みに近づけることができたのは、そうした「哲学の友」のおかげです。ここであらためて御礼を申し上げたいと思います。

読書と思索を通じて、みなさんの経験が少しでも豊かなものになることを念じて、擱筆《かくひつ》します。

中島隆博

この本で回答する11人の先生たち

芦名定道（キリスト教思想）
小倉紀蔵（東アジア哲学）
梶原三恵子（インド学、サンスクリット文献学）
加藤隆宏（インド思想）
木村勝彦（宗教学・宗教哲学）
佐藤弘夫（日本思想史）
土屋太祐（中国禅宗史）
中島隆博（中国哲学）
納富信留（西洋古代哲学）
吉水千鶴子（仏教学）
渡邉義浩（古典中国）

目　次

第1部
いま古典を読む意味って、何ですか？

ソクラテス像（バチカン博物館蔵、納富信留撮影）

1 古典って何ですか？

回答1

過去からの贈り物……中島隆博

古典とは過去から私たちに贈られた贈り物です。はじめから書物という形式で書かれたものもありますが、口伝《くでん》を後に書物にしたものもあります。なかには紀元前何百年という、ずいぶん時間を遡《さかのぼ》る古いものもありますが、より新しい過去のもの（近現代）も古典になりえます。

重要なことは、古典は多くの人々によって書かれ読み継がれているということです。たとえ作者が一人の場合であっても、その人を形作っているのは多くの読書経験ですので、書かれたものには複数の声が響いています。また後の人々が注釈や翻訳といった仕方《しかた》で解釈を積み重ねているのも古典の特徴です。言い換えますと、古典はいまだ完成したものではなくて、新たな解釈に開かれ、読まれることを待っているものなのです。

古典が読み継がれるのは、そこに時代や文化の違いを超えて、私たちの現在のあり方に訴えかけるようなヒントがあるからです。昔の人々も私たちと同じように多くの悩みを抱えていました。そして、どういう言葉でそうした悩みを摑《つか》まえ、答えを模索《もさく》していけばよいのかを真剣に考えたのです。

ただ、その言葉が、今の私たちが慣れ親しんでいるものとはずいぶん異なることがあります。たとえば「仁《じん》」と言われてもすぐにはピンと来ないですよね。実は、今から2500年以上前に、孔子がそれを強調した当時もすぐに理解されたわけではありませんでした。それは新しい人間理解のための言葉であったためです。それは、「人が人間的になる」ということです。なんだ当たり前のことじゃないかと思われるかもしれません。しかし、その人がどういう人かということよりも、身分によって人を理解していた当時の社会状況を考えると、それがずいぶん大胆な言葉だということがわかります。そして、それは今日においてもますます大事なことのように思えるのです。今の時代において、では、「人間的になる」とはどういうことでしょうか。どうすればそれが実現できるのでしょうか。このように、古典の言葉は今の私たちの応答や関与を待っているのです。

私たちは不完全で弱い存在です。それでも少しでもよくあろうとしたり、弱さを助けあったりして、共に生きていこうとしています。そのための糧《かて》として、是非《ぜひ》古典という贈り物を手に取っていただければと思います。

回答2 インターフェイスとしての古典……芦名定道

「古典」とは、人と人とを相互に繋《つな》ぐ接続点・境界面、つまりインターフェイスと捉《とら》えることができます。同じ「古典」に触れている人は、その「古典」を介《かい》して民族や世代を超えて、相互に意見を交わし、思いを伝え合う場に居合わせているのです。

たとえば、江戸時代に武家の親子間で、父親が息子に『論語』を使って武士の精神を伝えようとした際に、『論語』は親と子を繋ぐインターフェイスとしての役割を果たしていたのではないでしょうか。こうした『論語』の古典としての役割は、ほかの古典でも確認することができます。西洋世界の代表的な古典と言える聖書には次のような言葉が存在します。「わが子よ、父の諭《さと》しに聞き従え。母の教えをおろそかにするな。これらは頭に戴《いただ》く優雅な冠《かんむり》　首にかける飾りとなる」（箴言《しんげん》1：8―9。『聖書　新共同訳』日本聖書協会）。この言葉は、旧約聖書における知恵文学の代表である「箴言」の中でいくつかのヴァリエーションにおいて反復されており、知恵とは親から子へと継承されるものであることを鮮やかに示しています。そして、この継承の要《かなめ》に位置するのが、古代イスラエル民族の古典としての聖書（旧約）なのです。

聖書はその後、イエスと弟子たちの言葉や行い、手紙などを収録した新約聖書を加え、そこに繋がる人の数も範囲も飛躍《ひやくてき》的に拡大してゆきます。これは、初期のキリスト教共同体においては、次のようなイメージで表現されています。「そこではもはや、ユダヤ人もギリシア人もなく、奴隷《どれい》も自由な身分の者もなく、男も女もありません。あなたがたは皆、キリスト・イエスにおいて一つだからです」（ガラテヤの信徒への手紙3：28）、「信仰によって家族になった人々」（同6：10）、「あなたがたはもはや、外国人でも寄留者《きりゅうしゃ》でもなく、聖なる民に属する者、神の家族」(エフェソの信徒への手紙2：19)。

古典としての聖書は、そこに繋がる人の範囲を民族や社会的身分やジェンダーの相違を越えて押し広げ、人びとを結びつけるインターフェイスとしての役割を果たしてきました。ここに古典の意義を認めることができます。

古典のインターフェイス機能について特筆すべきは、それが原語・原典に制約されないことです。人を繋ぐ(さまざまな人びとが言葉を交わし思いを伝える)機能は翻訳でも維持《いじ》されています。つまり、翻訳によっても人は相互に繋がることができるのであって、こうして、古典は言語の壁を越えてさらに大きな文化圏・伝統を作り上げる知の遺産となるのです。

2 時代も社会状況も違うのに、現代を生きる自分たちの役に立ちますか?

回答

古典に自分を映し見る……木村勝彦

書かれた時代も社会状況も違う古典を読むことが、日々の教科学習や進路選択に役立つかどうかは疑問です。しかし、それゆえ古典を読むことは「現代を生きる自分たちの役に立たない」のでしょうか。時代も社会状況も違うのにではなく、むしろ時代も社会状況も違うからこそ、古典を読むことには意味があるとは考えられないでしょうか。

いつの世でも人は、生まれて、生きて、死んでいくという誰にとっても同じ道をたどらなければなりません。しかしまた、人はみなある時代に、ある社会状況のなかで生きるのであり、生を受ける家族のありようや一人一人の条件も異なります。人はみな特殊な存在であり、他と同じ人生を生きることはないのです。病気知らずの人もいれば、病気と闘い続けなければならない人もいます。戦争とまったく無縁な生涯を過ごす人もいれば、平和とはどういうものかを知らないまま戦禍《せんか》に短い生を終える人もいるのです。

つまり人はそれぞれになんらかの運命を生きなければならないのであり、そのことはいつの時代も変わらない真実です。自《みずか》らに与えられた運命という名のスタートラインから、その後の道程《どうてい》を自ら切り開いて走り抜けることが人生だと言ってよいでしょう。しかし、人生が運命であることは同じでも、時代や社会状況によってそのとらえ方は異なります。縄文時代の人々が、私たち現代人と同じようにものごとを感じ、理解していたわけではないでしょう。

人類が思想的な営《いとな》みを見出《みいだ》して以来、人生の意味を探ることは宗教や芸術、あるいは学問的な問いといったかたちで追求され、日常的な生活次元とは異なる価値として表現されるようになりました。運命と自分の存在をめぐる人間の精神的葛藤《かっとう》が古典と言われる書物を生み出してきたのです。しかし、そうした葛藤の内実や、それを表現する仕方《しかた》は時代や地域によって、何よりも個々人によって千差《せんさ》万別《ばんべつ》でした。

古典を読むとは、時代も社会状況も異なる人が、現代を生きる自分と同じように与えられた一つの運命をどのように受け入れ、格闘したかを知るということです。いわば古典は自分自身を映し見る鏡であり、そこに映し出される自分の姿を省《かえり》みることで気づきが得られます。その気づきが多様で豊かであればあるほど、その後の人生行路《こうろ》における有益な指針《ししん》となるでしょう。若い人が多くの古典に触れることの意義は、まさにそこにあるのです。

3 人に聞いたりネットで検索した方が、早く答えが見つかりませんか？

回答

時空を超えた出会いを見つけよう……………………吉水千鶴子

みなさんは一日に何回くらい、インターネットで調べ物をしますか？　天気予報、ニュース、欲しい商品、トレンドの話題、わからない英単語の意味。答えはすぐに見つかります。こんなに便利なものはありません。

では「情報」ではなく、アドバイスが欲しい時はどうでしょうか？　病気になった時には、お医者さんに相談します。あるいは、ネットで、同じ病気の人の体験談を探したりします。専門家や経験者の話を聞くのが一番ですね。進学や就職、友人関係で悩んでいる時は、親や先生、他の友人に相談します。電話やチャットで匿名《とくめい》で相談できるところもあります。対面でも、声だけでも、誰かが聞いてくれれば、とても心強いことだと思います。

でも、誰にも言えない悩みや疑問はありませんか？　うまく言葉にできないような不安はありませんか？　そんな時には、同じ悩みをもつ人や、がんばっている人をネットで探して、その様子やメッセージに励まされたりするのではないでしょうか？　実は、本を読むこと、古典を読むことも、それと同じです。人は、何百年も千年も昔から、同じことに悩み、苦しみ、答えを探してきました。古典を読むと、現代の私たちと遠い過去の人々の心が共鳴《きょうめい》し合うことがあります。それは素敵な出会いではないでしょうか？

コミック『進撃の巨人』に登場するケニー・アッカーマンは、暴力しか信じない悪党ですが、死に際に次のことに気づきます。

俺が…見てきた奴ら…みんなそうだった…酒だったり…女だったり…神様だったりもする。一族…王様…夢…子供…力…みんな何かに酔《よ》っ払《ぱら》ってねぇとやってらんなかったんだな…みんな…何かの奴隷《どれい》だった…あいつ（注—壁の中を支配する、巨人の力をもつ壁の王）

でさえも…

（諫山創『進撃の巨人』17巻、講談社）

彼の気づきは、哲学的といってもいい内容です。人は、いろいろなものにすがって生きている、たとえ、家族や子供、夢であっても、それにすがれば奴隷のようにそれに縛られてしまう、と彼は気づきました。言いかえれば、人は何かにすがらずには生きていけない、ということです。彼自身は「力」（権力をもつこと）に縛られていたのですが、実は、この気づきは、2500年も前に仏教の開祖ブッダがつぶやいていました。

息子ある者は息子のことで憂《うれ》い悲しむ、牛ある者は牛のことで憂い悲しむ。よりどころは人の憂いである。よりどころのない人は憂うることがない。

（『スッタニパータ』34詩）

「牛」というのは「財産」と言い換えられます。インドの人たちにとって、牛は大切な財産です。ブッダは、人が何かにすがって生きることは苦しみの原因だと見抜き、そこから心を解放することを説きました。

あなたもあなたの心と共鳴する時空を超えた言葉を探してみませんか？　あなたの代わりに、あなたの不安や悩みを言葉にしてくれる人が、書物の中にいるかもしれません。

図1　ブッダ坐像（ガンダーラ、パキスタン、2世紀ごろ）

4 なぜ大人はよく「古典は大切だ」と言うのですか？

回答1 古くて新しいツールとしての古典……………加藤隆宏

この本をつくるにあたって、古典について高校生にアンケート調査を行《おこな》った際、「古典とは大人がやたらにすすめてくるもの」というコメントがありました。私自身にも身に覚えがあり（すすめられたこともすすめたこともある）、絶妙な定義だなと感心いたしました。こんなうまいことを言えるかどうかわかりませんが、「古典とは何か」ということについて、私はSNSと「いいね」の仕組みをヒントに考えてみたいと思います。

インターネットとSNSを得たことで、私たちは世界中の人々とつながることができるようになりました。情報や知識だけでなく、自分の創作や趣味のこと、日々の暮らしのなかで私たちが考えたことや感じたことを発信すると、それが瞬時に国境を越えて海の向こうの人々に共有され、「いいね」によって共感が伝えられることになります。国や地域や社会的・文化的背景が違っていても、同じ人間として共感し合えるものがあるというのは、難しい理屈を抜きにして楽しいことです。

私はインドの古い文献を研究していますが、インドにも「古典」とよばれるような作品があり、私たちが手にとって読むことができるものもあれば、その名前だけが伝わり作品自体は失われてしまっているものも少なくありません。残ったものと失われたものの違いは何か。これを解明することは容易なことではありませんが、失われたものはやはりどこかの時点で人々の「いいね」が得られなくなり、次第に忘れ去られてしまったということなのでしょう。そのように考えると、どんな形のものであれ、およそ「古典」とよばれるものは、長い年月のなかでより多くの人から得られた共感が積み重ねられ、国や地域や社会的・文化的背景、さらには時代の違いを超えて、私たちのいわば普遍的な共感を受け止める役割を果たしてきたと言えるかもしれません。古典は大切だから残っているのではなく、残っているから大切なのです。

私たちの同時代的な共感は、ＳＮＳという新しいツールによって距離や場所といった制約が取り払われ、空間的広がりが可能になりました。一方、古典というツールは私たち人類の共感を過去・現在・未来という時間的制約から解放してくれます。私たちが古典に触れ、かつて何十年、何百年ものあいだ同じ古典に触れてきた人々に思いを致《いた》すように、何十年、何百年先の人々が古典に触れて私たちと思いを同じくする時が来るかもしれません。古典に親しむことは、私たち自身が、このように何千年とつづく人類の壮大な知的営《いとな》みの一部になることではないでしょうか。

回答2　伝えられてきたということ……………………土屋太祐

これはひょっとして、「古典は大切だからちゃんと勉強しろ」と身近な大人から言われる人が実際にいるということなのでしょうか？　そうだとすると、正直なところすこし意外な気もしてしまいます。近ごろは「古典の勉強をして何の役に立つのか」と聞かれることの方が多いからです。それはともかく、もしほんとうに「古典は大切だ」と言う大人が周りにいるのであれば、みなさんはその人に逆に質問してみるといいと思います。なぜそんなことを言うのか、そもそも古典ってどんなものか、と。おそらく、人によってそれぞれ違った答え方をするんじゃないかと思います。ひとくちに「古典」といっても、古今東西いろいろな作品がありますし、それに向き合う態度も十人十色ですから。

そんなことを言ったら、この本自体が古典を読むことを勧めるものです。そしてここにもいろいろな人のいろいろな意見が出てくるんじゃないかと思います。しかしみなさんは、それらの意見を金科玉条《きんかぎょくじょう》のように受け取る必要はないでしょう。いろいろな意見があるんだなと思って楽しめばいいと思います。「古典が大切」な理由は一つでなくてもいいはずです。そのように多様な態度を許容するのも古典の魅力だと私は思います。

それで私はというと、やはりみなさんに古典を読むことをお勧めしたいと思います。私の考える古典の価値は、「伝えられてきた」という部分にあります。よく、「長いあいだ伝えられてきたのは、その書物に優れた価値があったからだ」と言う人がいますが、私は、古典といわれる書物のすべてが優れているとは限らないと思っています。それに、そもそも優れているかどうかは、受け手が置かれた状況によって異なります。前近代の人々にとって優れていたものが、現代の我々にとっても優れているとは限りません。

しかし、「伝えられてきた」という点はまず間違いありません。伝えられていなければ私たちの手元に届いていないですから。伝えられたというのは、単にモノとして伝えられたということではありません。そこには書いた人がいて、そしてそれを読んだ人がいました。読んだ人はそれを解釈し、それぞれ異なる態度で異なる意味合いを見い出してきたはずです。そのような読みの営みは、本の形や注釈として蓄積され、ただの本はやがて古典になっていきました。古典にはそのような思いや営みが何層にも折り重なって詰まっています。古典を読むことはそのような思いの積み重なりに触れることです。それはまた、我々と過去とのつながりを知ることであり、我々と我々の生きるこの世界がどうやって作られてきたのかを知ることです。そのような経験は、やはり伝承の厚みのある本を読むことでしか得られないと思います。

5 正直言って、まったく興味がわきません……

回答

古典への入り口は、たくさんあります…………………渡邉義浩

たしかに古典は、正面から読もうとすると、ハードルが高いかもしれません。それでも、古典は、長い期間に多くの人々に読まれ、共有されることで、世界の常識を作ってきました。そのため、みなさんが暮らしていく中で、自然と目にしたり、耳にしたりする言葉の中に、古典への入り口が隠れています。それらの中には、きっとみなさんの興味に繋《つな》がっている入り口があるはずです。少し意識を言葉や思想の起源に向けてみませんか。

たとえば、テレビを見たりゲームをする中で、戦争に関わる話題がある時、現場の指揮官《しきかん》

に対して、君主や大統領が介入することは良くない、という説明を耳にするかもしれません。それは、中国の紀元前5世紀の人である孫武《そんぶ》が著した『孫子《そんし》』という古典に基づいています。『孫子』は、ひとたび将軍が戦いに出れば、「君命《くんめい》も受けざる所有《ところあ》り」、すなわち君主の命令であっても従わない場合がある、と述べています。戦いには相手がおり、臨機応変《りんきおうへん》に動かねばなりません。いちいち君主にお伺《うかが》いを立てる時間はないのです。それでは、なぜ君主は、将軍にすべてを任せられるのでしょうか。

それについて、孫武より少し遅れる時代を生きた孔子《こうし》は、『論語《ろんご》』の中で、国家にとって必ず必要な兵と食と信の中で、最も必要なものは信であると述べています。その理由を孔子は、「民は信無《な》くんば立たず」と説明しています。信がなければ、民は生きていけないというのです。信が必要なのは、民だけではありません。君主と将軍、将軍と兵士も信によって繋がれていなければ、戦いに勝利を収めることはできないのです。

今から約2500年前の言葉が、現在の国際情勢の分析にも役立つのはなぜでしょう。それは、古典には、時代や文化の違いを超えて、人々のあり方の真実についての洞察《どうさつ》があるからなのです。古典に触れることで、世界観を広げていきませんか。

第2部
人生の鍵は、古典のなかにある！

賢者と弟子、18世紀インドの細密画

1 人の意見にすぐ影響されてしまいます

回答1

自分の意見を見つけるまで――孔子の「時」の教え…………渡邉義浩

人の意見に影響されやすいのは、悪いことではありません。そもそも、人は他人の意見に学び習うことから、自分の意見を持つようになります。たとえば、『論語《ろんご》』の冒頭である学《がく》而篇《じへん》は、次のような文章から始まります。

子《し》曰《いわ》く、「学びて時に之《これ》を習ふ、亦《ま》た悦《よろこ》ばしからずや。……」と。

（孔子《こうし》が言った、「学んで適切な時期にこれを復習する、喜ばしいことではないか。

……」と。）

「学」という漢字は、もともとは「學」と書きます。爻は、蓍《めどぎ》を四本、重ねた形です。これは易者《えきしゃ》さんが持っている棒ですね。その選んだ蓍が偶数だと凶です。凶の字の凵の中に入っているメは、偶数ですよね。これに対して吉という字は、士を蓍に見立てると3本あり、奇数になっています。學の字に戻ると、𦥑は右手と左手、冖は台ですから、台の上で先生が両手で蓍を扱うのを下から子どもが見ている形になります。漢字の成り立ちには諸説ありますが、私は大学で、このように学びました。學とは、先生の言行を見た生徒が、真似《まね》ることから始まります。ということで、大学で学んだことを真似して、説明してみました。

学んだことは習わなければなりません。孔子は、それを喜ばしいではないか、と語りかけています。『三国志《さんごくし》』の英雄曹操《そうそう》の妾《めかけ》の連れ子である何《か》晏《あん》が著した『論語《ろんご》集解《しっかい》』という、現在完全に残っている最古の『論語』の解釈書では、王粛《おうしゅく》という学者の説を引用して、「時とは、学ぶ者がしかるべき時に応じて読み学ぶことである。読み学ぶことを時に応じて行い、学びが滞《とどこお》ることがないのは、喜ぶ理由である」とこの文章を解釈しています。

人の意見を真似をして自分のものとし、しかるべき時にまたそれを思い出して考えてみる。その間に自分が成長していれば、前とは異なる感じ方、考え方が出てくるかもしれません。そんな簡単ではなく、出てこないかもしれません。しかるべき時とは、自分の考え方が定まっていくまで続くのでしょう。

孔子に学んだ子路《しろ》というお弟子さんは、しかるべき時が来るまで、そのことだけを習い続けたかったようです。次のような逸話が『論語』公冶長篇《こうやちょうへん》に伝わっています。

子路　聞くこと有りて、未《いま》だ行《おこな》ふ能《あた》はざれば、唯《た》だ聞くこと有るを恐る。

子路は(教えを)聞いて、(それに対する自分の考え方が確立して)まだ実践《じっせん》できていなければ、(さらに別の教えを)聞くことをひたすらに恐れた、というのです。誠実ですよね。その自分の考え方が、子路の大好きな孔先生(子は先生という意味)と同じでも、自分で考えればよいのです。とにかく、学び、習い、自分の考えを持つようにしていく。

それでは、いつになれば、自分なりの考え方を持つことができるのでしょうか。孔子は、自分の一生について、『論語』為政篇《いせいへん》で次のように振りかえっています。

子曰く、「吾《われ》十有《ゆう》五にして学に志す。三十にして立つ。四十にして惑《まど》はず。五十にして天命を知る。六十にして耳順《みみしたが》ふ。七十にして心の欲する所を縦《ほしいまま》にするも矩《のり》を踰《こ》えず」と。

日本語で40歳を不惑《ふわく》(惑はず)、50歳を知命《ちめい》(命を知る)と呼ぶのは、この章《しょう》(「子曰く」から始まることの多い『論語』の一つの固まりを章と呼びます)を典拠《てんきょ》とします。30歳も而立《じりつ》(而は置き字と呼ばれる訓読の時に読まない文字です)と呼びますが、何が立つのでしょう。何晏の『論語集解』は、立つとは、成り立つことである、と解釈します。それを受けて皇侃《おうがん》の『論語義疏《ろんごぎそ》』という集解の解説書は、修めてきた学問が成り立つ、と何晏の集解を補って説明しています。

自分なりの学問が成り立つ、すなわち、他人に対して、しっかりとした自分の意見を論理的に説明できる。それは30歳になってからである、と孔子は言うのです。10代のうちから、他人の意見に流されず、しっかりと自分の意見を持て、などと古典は言いません。ちなみに、私が大学を出て、博士論文を書いて大学院を修了し、大学の教員になったのは、30歳の時でした。三十にして立つ、そんな実感でした。

では、「而立」するまで、勉強ばかりを続けるのでしょうか。孔子は、『論語』学而篇でこう言っています。

子曰く、「弟子《ていし》、入《い》りては則《すなわ》ち孝《こう》、出《い》でては則ち悌《てい》、謹《つつし》みて信あり、汎《ひろ》く衆を愛して仁《じん》に親しむ。行《おこな》ひて余力有らば、則《すなわ》ち以《もっ》て文を学べ」と。

孔子は、「若者よ、（家庭に）入っては孝に、（社会に）出ては悌《てい》（目上の者に従うこと）に、慎《つつし》んで信を持ち、広く（人々を）愛して仁者《じんしゃ》に親しみなさい。（そのように）行ってなお余力があるのなら、古《いにしえ》の文章を学びなさい」と言っています。本文で「文」と表現されている古の文章とは、孔子の時代の古典のことです。具体的な書名を挙げると『詩経《しきょう》』や『書経《しょきょう》』です。孔子のころにも、古典は難しく、いつもいつも古典を勉強していたわけではないのです。

ゆっくり進みましょうよ。そんなに簡単に自分の意見は確立しません。人の意見に影響を受けても、それを時々に「習」って、自分の考えと突き合わせてみてください。答えが出るまで、子路のように頑《かたく》なに考え続けることもありません。人の意見に振り回され、ふらふらしながら、「時」に自分で考えてみる。そうした中から、だんだん自分の意見が出てくるのではないでしょうか。

参考文献

『論語集解——魏・何晏（集解）』上・下、渡邉義浩訳、早稲田文庫、2021年

『論語』は、原文の一つひとつの漢字の意味を、注《ちゅう》と総称される、様々な時代の解釈を参照しながら、確定して読んでいきます。孔子を不可侵《ふかしん》の聖人《せいじん》と捉える南宋の朱子《しゅし》の解釈がよく知られていますが、ここで紹介した、古い時代の孔子像が残る何晏《かあん》の解釈の方が、私は好きです。何晏の集解に基づく論語の全訳は、この私の本が唯一のものです。

回答2 一人の相手と向き合って対話する……………………納富信留

――ソクラテスの哲学と生き方

友だちと議論したり、話を聞いたりする、そんな時に相手の考えに影響されてしまうのは当然のことです。それは、その人の言うことを聞いて、それがいいと思うからでしょう。そもそも他人の言うことをまったく聞かない人や、自分の考えに固執《こしつ》して絶対に変えようとしない人と比べたら、影響されやすい人はきっと共感力が強いはずです。

ですが、問題は影響のされ方です。どんな考えもすばらしい、本当だと思って受け入れてしまうことは一見良さそうですが、あまり簡単に染まってしまうと、騙《だま》されたり、あとで「失敗した」と後悔することになるでしょう。また、おおぜいの考えに流されてしまうのも、安心でいられるようで、不満がたまったり嫌な思いをしたりすることが多いです。要はバランスの問題です。

自分というものをしっかり持ちながら、相手の意見の良いところをしっかり学んで、そこからより望ましい考えを求めていく。そのために必要なのが、対話です。対話とは、二人の人間が面と向き合って、おたがいの考えを対等にぶつけて、そこから新しい考えを生み出していく言葉のやりとりです。それはけっして簡単に実現するものではありませんが、思いもしなかったアイデアを得たり、心から納得できる考えに達したり、もしも合意がまとまらなくても、相手の立場が分かることで尊重する気持ちが生まれたりします。そこでは、もはや簡単に人の意見に流される私ではなく、相手と対等な私が成立するはずです。

まちがえてはいけませんが、対話とは相手の考えに合わせることではけっしてありません。むしろ、相手とちがう自分の思いを表現して、ときに対立しながら議論をつうじて対決し、そうして自分と相手という二人の魂のあいだで言葉をキャッチボールすることです。相手を尊重しつつもきちんと批判する、その姿勢が肝心《かんじん》です。そんなの面倒《めんどう》くさいし、人とぶつかるのは嫌いだというのは、一見楽な生き方に見えるかもしれませんが、かえってなにか大きなものを失い、結果として不幸な状況におちいってしまいます。最初は勇気がいっても、きちんと自分の立場を言葉で伝えることで、相手の意見とのちがいや共通性が見えてきます。その方が、良い人間関係をきずけますし、なによりおたがいに納得のいく結果に至れるのです。
　こういった対話には、現代においても、古代ギリシアの哲学者ソクラテスが見本にされます。弟子のプラトンが対話篇という形式で言動を描いたソクラテスは、たんに哲学の探究のモデルになるだけでなく、私たちが目指すべき対話を具体的に示してくれるからです。

　人間の考えというものは、すべてを尊重すべきというのではなく、そのうちあるものは尊重すべきだが、そうでないものもある。また、すべての人の考えが尊重されるべきではなくて、ある人たちの考えは尊重されるが、ほかの人たちの考えは尊重されない。そう言われているが、君には十分よく語られているとは思われないかね。
（プラトン『クリトン』47A）

　この発言は、たんに一般的な教訓ではありません。牢獄《ろうごく》でもうすぐ死刑を執行されるソクラテスが、ぜひ脱獄してくれと懇願《こんがん》する幼馴染《おさななじみ》の友人クリトンに対して返答した言葉なのです。みなさんも聞いたことがあるでしょうが、ソクラテスは不正をした覚えはなかったのに、紀元前399年にポリス・アテナイで突然裁判にかけられました。その罪状は「ポリスの信ずる神々を敬《うやま》わず、青少年を堕落《だらく》させる」という言いがかりに近いもので、弁明の演説をした末に「死刑」の評決をうけ、こうして牢獄で死刑執行を待っています。

正当な手続きをへて下された判決とはいえ、その内容にとうてい納得できないと感じるクリトンは、家族のため友人のためにソクラテスは脱獄して他国に逃れるべきだと熱心に説得を試みます。それに対してソクラテスは、人の考えには正しいものもまちがっているものもあり、一緒に検討しながら慎重《しんちょう》に吟味《ぎんみ》しなければならないと語っているのです。そして二人は真剣な対話に入ります。

クリトンの意見は、「みんながそう思っている」という論拠《ろんきょ》からきています。でも、たとえほぼすべての人がそう思っていても、まちがっていることはあります。そんな時、「それはちがうと思うよ」と声をあげることが必要です。この対話はたんなる意見の相違の問題ではなく、ソクラテスが死ぬか生き延びるか、いや、正しく生きるか、脱獄という法律違反をおこなって不正を犯すか、という真実を賭《か》けた言葉のやりとりです。そうしてクリトンを説得して「人の意見」を退《しりぞ》けたソクラテスは、やがて堂々と毒杯を飲むことになります。みなさんがクリトンなら、ソクラテスの言葉をどうとらえるでしょうか。

人の意見に流されないどころか、正しいことであれば世の中の全員が反対しようと、自分の命が脅《おびや》かされようとも自分の考えを貫くというソクラテスの生き方は、極端に見えるかもしれません。彼はべつの対話で、対話相手のポロスにむけてこう言っています。

君には、このわたしを除いて、ほかの人たちが全員同意してくれているようだが、でもわたしには、君さえ同意して証人になってくれれば、たとえそれが君ただ一人でも、それで十分なのだ。そしてわたしは、ただ君の一票さえ獲得できれば、ほかの人たちはどうでも構わない。

（プラトン『ゴルギアス』４７５Ｅ―４７６Ａ）

こうして一人の相手と向き合ってとことん話し合い、そこで自分の考えをつくっていく、そんな対話が目指されます。「人の意見」というときの「人」には一人ひとりの顔と生き方があります。一般的な「人」なんてどこにもいません。そのたった一人の人と対話し、その人を納得させ自分自身が納得することがより善《よ》い生き方なのです。人の意見に流されるというのは、対話をするあり方ではあり得ません。ですが、向き合う相手から対話をつうじてほんとうの影響を受けるとしたら、それはすばらしい人生ではないでしょうか。

参考文献

プラトン『ソクラテスの弁明』納富信留訳、光文社古典新訳文庫、２０１２年

プラトン『ソクラテスの弁明・クリトン』三嶋輝夫・田中享英訳、講談社学術文庫、１９９８年

プラトン『ゴルギアス』中澤務訳、光文社古典新訳文庫、２０２２年

紀元前4世紀に書かれたプラトンの対話篇は、西洋哲学の古典として現代まで広く読まれてきました。その原点とも言えるのが、『ソクラテスの弁明』とその後日談『クリトン』です。丁々発止《ちょうちょうはっし》の対話を楽しむには『ゴルギアス』がお勧めです。

納富信留『対話の技法』笠間書院、２０２０年

対話とは本当は何なのかを、現代の哲学の問題として考える本です。対話をする危険性とそれを乗り越える勇気、そのために必要な技法を論じています。

回答3 他者との関わりをバネに豊かな自分になる……………芦名定道
——キルケゴールの語る自己

「人の意見」に左右されて自分を見失いがちになること、これは性格の弱さとでも言うべきものかもしれませんが、本人にとって大きな悩みの種《たね》であると思います。もちろん、いつまでたっても、自分のしっかりした意見を持つことができないのは困ったことに違いありませんが、自己形成の途上にある人の場合は、他者の意見に影響されること自体が悪いわけではありません。

この点について、人間の有り様(原点)に戻って考えてみましょう。変化のうちにあること、つまり常に未完成であることは人間の本質に属しています。1年前の自分と今の自分は同じ自分でありながら、しかし、そこにはさまざまな変化が存在し、まったく同一と言うことはできません。10年後の自分がどんな人間になっているかについて、はっきり見通せる人は少ないでしょう。これは若者に限ったことではありませんが、若い自己形成途上の人間であれば心身ともに急激な成長を経験することは少なくありません。「男子、三日会わざれば刮目《かつもく》して見よ」(『三国志演義』)との格言が示すとおりです。以上の意味で、人間は「未完のプロセス」、しかも「変化を介《かい》した自己形成プロセス」であると表現することができます。

次に、人間が自己形成のプロセスのうちにあることを理解するために、キルケゴール『死に至る病《やまい》』を参照してみましょう。19世紀の思想家キルケゴールは、人間とは何かという根本問題について、次のように論じています。

人間とは精神である。精神とは何であるか？　精神とは自己である。自己とは何であるか？　自己とは自己自身に関係するところの関係である、すなわち関係ということには関係が自己自身に関係するものなることが含まれている、――それで自己とは単なる関係ではなしに、関係が自己自身に関係するというそのことである。

（斎藤信治訳、岩波文庫）

このキルケゴールの議論はこの引用文だけでは不明な点もあると思いますが——関心のある人は、この引用に続く部分も合わせて読んでみてください——、キルケゴールが人間（＝自己）を自己関係（自分自身へ関係すること）において生きる存在者として描いていることは明らかです。出発点の自己を自己Aと表記しこのAが自分自身に関係aを持つとすれば、その結果として自己は自己B（＝A＋a）に変化します——自己関係は鏡で自分を見るという行為が例として挙げられますが、鏡で身だしなみを整えた自己が自己Bに当たります——。そして、このBは自分自身に対する関係bを持ち、自己Cへ変化する。こうして、自己は自己関係を組み込むことによって次々に変化（＝生成）し続ける一つのプロセスとして存在するということになります。これは先に「人間の特徴として、常に変化のうちにあること、つまり未完成であること」と述べたことの言い換えにほかなりません。キルケゴールは、人間とは常に自分自身になる途上、生成プロセスのうちにあると指摘しているわけです。その意味で「人間は生成である」と述べることもできるでしょう。

キルケゴールの先の引用では、自己の生成は自己関係という点から述べられていますが、ここで、これに他者関係を加えてみればどうなるでしょうか——実は自己関係と他者関係は相互に繋《つな》がっています——。私たち人間は他者との関わりによって他者からさまざまな影響を受けつつ自分であり続けている(＝自己形成を行《おこな》っている)のであって、他者からの影響は自己形成にとって欠くことができないものなのです。他者から切断されてしまうとき、私たちは自分自身を維持《いじ》することに困難を感じないでしょうか。この点から新型コロナウイルス感染防止の合い言葉、ソーシャル・ディスタンスは極端な形で永続させるべきではないと言わざるを得ません。

説明が長くなりましたが、以上よりわかるのは、他者から影響されること自体は悪いことではない、それは自己形成(自己生成のプロセス)にとって不可欠なものである、ということです。

問題は、自己形成にとって必要な他者との関わりが自己形成自体を妨《さまた》げるものとなるときに生じます。たとえば、特定の他者への過剰《かじょう》な依存が自己の成長・形成を抑圧する場合です。「人の意見にすぐ影響されてしまいます」とは、このような歪《いびつ》な他者関係の一例と言えるでしょうか。では、他者から影響を受けつつも、自己形成をめざして進むことはどうしたら可能になるのでしょうか。おそらく、それに対する一つの答えは、できるだけ多くの複数の意見(友達、家族、先輩、先生……など)を参考にすることでしょう。優れた意味での「古典」とは、同じ古典に繋がる人びとの意見に耳を傾《かたむ》け、それを自己形成に繋げてゆく機会を提供するものなのです。

さらに「人の意見にすぐ影響されて」も、それに流されないためには、自分自身の感性に正直であること、特に他者に共感できる自分の思いに正直であることも大切です。「人の意見に影響されて」もそれをバネに自己形成をめざすこと。これは一生の課題ですが、若いときにこそ、心がけていただきたいものです。

参考文献

須藤孝也『人間になるということ――キルケゴールから現代へ』以文社、2021年
「人間になる」というテーマをめぐるキルケゴール思想へのよき手引きです。
ボンヘッファー『共に生きる生活』(ハンディ版)森野善右衛門訳、新教出版社、2014年
ボンヘッファー(現代ドイツの神学者)は、ヒットラー暗殺計画に加わり逮捕され死刑に処せられた人物です。この文献では、「他者と共に生きる」と「一人で生きる」との関わりが論じられています。回答中では「自己関係と他者関係は相互に繫がっています」と述べましたが、この点について具体的に考える手がかりになります。

図２　キルケゴール像（いとこによる素描）

2 親との関係に悩んでいます

回答1 親を乗り越えて進むこと——古代ギリシア神話における子供たち……納富信留

親との関係は、私たちが生を享《う》けてからずっとつづく、もっとも親密で近しいものです。当然、父親、母親とどう関係をきずくか、維持《いじ》するかは、人生のそれぞれの段階で大きな関心事になります。それは、たんなる絆《きずな》や愛情では片付けられない、深刻で複雑な人間関係の場でもあります。ここでは、人間の原体験というべき古代の「神話」にヒントを求めてみましょう。

古代ギリシアで人間のあり方は、神々をモデルに考えられていました。もちろん、不死なる神と死すべき人間の間には、能力でも知恵でも決定的な違いがあります。しかし、私たち人間は神に憧れ、そのように生きたいと願ってきました。

ギリシア最古の文学作品に、詩人ヘシオドスの『神統記《しんとうき》』があります。そこでは宇宙の原初から神々の世界がどう始まり、人間が生まれてこの世界になったのかが、格調高い叙事詩《じょじし》で歌われています。三代にわたる二つの親子関係がその中心です。

太古の神であるガイア(大地)は「星散《ちりば》乱えるウラノス(天)」を生み、そのウラノスとの間に多くの神々を産みました。オケアノス(大洋)やテミス(掟《おきて》)やムネモシュネ(記憶)ら18人の子供をもうけましたが、ウラノスはかれらをみな大地の腹の中に押し込めて、光のもとに上らせませんでした。ガイアはそのために苦しみ悶《もだ》えますが、それに応《こた》えたのが末子のクロノスです。「強壮《きょうそう》な父親を憎んだ」この息子は、復讐《ふくしゅう》をたくらむ母親から授《さず》かった鋼鉄《こうてつ》の大鎌《おおがま》で父親の生殖器を切り落とします(その切片《せっぺん》の白い泡から生まれたのが、美の女神アフロディテです)。そうしてクロノスが神々の王として君臨《くんりん》します。

クロノスは姉レイアとの間に6人の子供をもうけますが、彼もやはり子供たちが生まれるとすぐに飲み込んでしまいます。息子によって自《みずか》らの王位が奪われるのを恐れてのことでした。悲嘆《ひたん》にくれるレイアは両親であるガイアとウラノスの助言を受け、末子のゼウスが生まれるとクレタ島に隠し、かわりに産衣にくるんだ大石をクロノスに飲み込ませます。成長したゼウスは父親を打ち負かし、他の子供たちを吐き出させて解放します。そうしてクロノスを追放したゼウスが君臨して支配するのが、私たちが生きている現世界なのです。

神話とはいえ、愛情の薄い殺伐《さつばつ》とした話ですね。この三代の神話は、親とは何か、親と子の関係は何かを象徴的に示しています。息子が父親を去勢し、追放して支配権を獲得するというのは、いわば一人前の大人になる儀式のようです。逆に、父親はやがて自分より強力になる息子の存在を恐れ、それに敵対し押さえつけることで権威を保ちます。ここではクロノスもゼウスも、母親の味方をして復讐を手助けしている点も重要です。

ギリシア人はこういった親子関係を運命づけられた呪縛《じゅばく》としてとらえ、そこからさらに深い人間のあり方を求めます。その代表が、古典期アテナイで上演されたソフォクレスの悲劇『オイディプス王』です。かつてスフィンクスの謎を解いてテーバイの王位についたオイデイプスは、テーバイに蔓延《まんえん》している疫病《えきびょう》の原因となった穢《けが》れを探索《たんさく》するなかで、先王ライオスを殺したのが自分自身であり、彼が実の父親であったという事実を突きつけられます。つまり、知らずに父親を殺害したオイディプスは、その王妃であった実の母親イオカステを妻として子供をつくって生活していたのです。この悍《おぞ》ましい運命を知ったオイディプスは、真実を見て気づかずにいた自らの目を潰《つぶ》して追放の身になります。

父親に対して息子がいだく敵意は人間の奥底に潜《ひそ》む根源的な葛藤《かっとう》であるという見方を、19世紀から20世紀にかけて活躍したオーストリアの心理学者フロイトは「エディプス・コンプレックス」と呼びました。父親への憎悪は母親という女性への愛をめぐって相反する心的抑圧であり、オイディプス(ドイツ語で「エディプス」)はそんな人間の潜在的願望を体現した神話的な原型ということになります。

ここまでは父親と対立する息子という男性同士の親子関係を見てきましたが、フロイトの弟子ユングは、母親と娘の間にも同類の関係があると考えて「エレクトラ・コンプレックス」と呼びました。エレクトラとは、アイスキュロス、ソフォクレス、エウリピデスというギリシアの三大悲劇詩人がそれぞれに描いたミケーネの王女です。

10年にもおよぶトロイア戦争を勝利したギリシア軍の総大将アガメムノンは、ようやく帰国したミケーネで、留守中に不義をしていた妻クリュタイムネストラとアイギストスに謀殺《ぼうさつ》されます。残された娘エレクトラと息子オレステスは助け合いながら母親を殺して父親の仇《かたき》を討《う》ちますが、そこでエレクトラが母クリュタイムネストラに抱く感情が、父親をめぐる愛ゆえに母親と対抗する娘のあり方と見なされます。オイディプスと対照的な関係ですね。

こういった精神分析の理論がどんな根拠をもつのか、どこまで当てはまるのかは、いろいろな疑問もあるでしょう。父親や母親を殺すという、そんな事態に行き着く危機は実社会ではまず起こりません。しかし、私たち人間は根源的にそういった危機的で不安定な関係において親子という絆を生きている、それを象徴的に心底恐ろしく示しているのが、ギリシア神話でありギリシア悲劇です。その意味をあらためて深く考えてみる必要があるようです。

まったくの他人であれば、互いにここまで強くこだわり、傷つき合うこともありませんが、親と子は他とは比べられない密度と距離で、逃れられない運命的な関係を生きていくものです。仲良く暮らすとか、助け合うとか、反抗するとか、そんな単純で表面的な関係だけではないはずです。見本であり敵対者でもある、その存在を意識して乗り越えることで初めて一人の人間として自立して存在できる、そんな重要でかけがえのない相手が、父親であり母親なのです。ぜひ親に対抗して、そこから見事に巣立つことで、やがて一人の人間どうしとして一緒に語り合い、支え合う関係をひらいていってください。

参考文献

ヘシオドス『神統記』廣川洋一訳、岩波文庫、１９８４年

紀元前７００年頃に詩人ヘシオドスが作った叙事詩で、ギリシアの神々の系譜《けいふ》と人間の誕生が語られています。他に教訓的な叙事詩『仕事と日』が代表作です。ホメロスの『イリアス』『オデュッセイア』と並んで、西洋文学最古で最高の古典と言われます。

ソポクレス『オイディプス王』藤沢令夫訳、岩波文庫、１９６７年

ギリシア悲劇の現存作品は『ギリシア悲劇全集』(岩波書店)など複数の種類の翻訳があります。エレクトラの物語については、アイスキュロス『供養《くよう》する女たち』、ソフォクレス『エレクトラ』、エウリピデス『エレクトラ』といった作品が残っており、異なる扱いが見られます。

フロイト『フロイト、性と愛について語る』中山元訳、光文社古典新訳文庫、２０２１年

フロイトの精神分析の著作のうち、「エディプス・コンプレックスの崩壊」などの論考が収められています。

回答2 自分で自分の主人《あるじ》となれ——ブッダの言葉から……………吉水千鶴子

親とはもっとも身近にいる他人です。「あなた自身ではない」という意味で他の人間です。私たちは家庭や学校、社会の中で、他人との交流や衝突《しょうとつ》によって、次第に自我を形成していきます。家族という存在は、そこで成長するうちに、自分の生活の一部になり、分かち合うものも多くなります。楽しい時間も、悲しみや苦しみも共有し、それが強い絆《きずな》ともなります。でも、家族とはいえ共有できないもの、してほしくないものもあります。また、わかってほしい、共有してほしいのにできないこともあります。

親子の間というのは、赤の他人どうしと違って、思い込みが強くなりがちです。「自分の子だからこのくらいできるだろう」「自分に似てこういうところはダメなんじゃないかしら」

などと親は思い、子供は「親なんだからわかってくれて当然」と期待したり、「わかってくれるわけない」と決めつけたりします。「冷静になって距離をとりなさい」というのが一般的なアドバイスかもしれません。「話し合いなさい」というのもよく聞かれます。でも、それで解決していたら悩みませんね。

一度、思い込みを取り去ってみることが必要です。試しに「自分の」という意識を外してみてはどうでしょうか。「自分の親」ではなく「他人」だと思えば、他人に対してわかってほしいことがあれば、言葉を尽くして説明するでしょう。知られたくないことは話しませんね。もし、「説明しなくてもわかってほしい」と思うのでしたら、まだ「自分の親なんだから」という甘えがあるということです。人間どうしとして理解し合うためには、ちょっと強くならねばなりません。あなたは日々成長しています。きっと強くなれるでしょう。でも、親を変えるのは難しい。親は自分が産み育てた子を「自分のもの」と錯覚《さっかく》しがちなのです。

仏教の開祖ブッダは今から2500年もの昔に次のような言葉を残しています。

愚《おろ》かな人は「わたしには子がある。わたしには財産がある」と思って悩む。しかし自分がそもそも自分のものではない。ましてどうして子が自分のものであろうか。どうして財産が自分のものであろうか。

（『ダンマパダ』62詩節）

なぜ悩むのか、といえば、「自分の子」「自分の財産」と思っているので、それが失われたり、思いどおりにいかなかったりすれば悩むというのです。仏教では「自分ですら自分のものではない」と教えます。自分の身体、自分の心が思いどおりになるでしょうか？　病気や老化をなくすことはできません。怒りや苦しみを鎮《しず》めるのはたいへんです。ブッダは「自分のもの」という考えが、苦しみが起こる一番の原因だと考えました。自分の子を自分のものと思い込み、思いどおりにしようとすれば、親にも子にも苦しみが起こります。でも、親が心配してくれるのは愛情だと思うと、無碍《むげ》にもできません。親に養ってもらっていればなおさらです。そういう時は、心の中で少しずつ自立の準備をしてはどうでしょうか。

ブッダは次のようにも言いました。

自分こそ自分の主人《あるじ》である。他人がどうして自分の主人であろうか？　自分をよく整えたならば得《え》難《がた》き主人を得る。
（『ダンマパダ』160詩節）

「自分の人生は自分で決めなさい」「自分の人生を決める権利を他人に委《ゆだ》ねるな」という教えです。仏教では「無我《むが》」という教えもあります。「我」が「無い」というのは、「自分が」「自分の」という誤った思いを除くためで、心の働きや行動の主体としての自分を否定しているわけではありません。だからといって、わがままを通していいのだ、という意味でもありません。自分自身の主人になるということは、自分で自分の怒りや欲望をコントロールする、自分で自分の行動に責任をとるということです。これはとても重いことです。流されている方が楽かもしれません。でも、もし自分自身が主体性をもってやりたいこと、進みたい道が見つかったら、自分の主人となって下さい。

ブッダは今から2500年ほど前のインドで生まれた人ですが、実は彼自身の親子関係は良いものではありませんでした。彼は釈迦《しゃか》族という王族の家に生まれ（だから「お釈迦さま」とも呼ばれるのです）、ガウタマ・シッダールタという名前でした。「ブッダ」は「目覚めた人」という意味ですから、悟りを開いてからの呼び名です。彼は本来父親の後《あと》を継《つ》いで釈迦族の王になるはずでした。結婚し息子も生まれ、29歳までは王宮で暮らしていました。しかし、29歳の時、親の期待を裏切り、妻子までも捨てて家出をしてしまいました。もし彼が立派な人にならなかったならば、単なる親不孝者、最悪の夫、父親でした。家出をした彼は、家族も財産も家も捨て、修行に励みます。人は生まれてもやがて死なねばならない、生きている間もさまざまな苦しみがある、その苦しみをどうしたら克服できるか、解決したかったのです。そのためには王子の地位や家は不要なものでした。ただ、家を出た年齢が29歳と伝えられていることから、彼は家を出る決意をするまでにかなりの時間が必要だったのかもしれません。一説には、息子が生まれ、自分がいなくても後継ぎができたから家を出ることができた、とも言われています。あるいは親の言うとおり結婚して家庭をもったところまでは、流されていたのかもしれません。彼が「自分の主人」になったのは、このようにかなり遅かったのですが、遅すぎるということはありませんでした。

古代のインドでは、家を出て修行する人たちは多く、社会的にも認められていました。案外自由な世の中だったのです。「家出」を逆さまにすれば「出家」です。ブッダはインドの中で旅をして、いろいろな人に教えを説きました。そこで繰り返し「君も出家しないか」と提案しています。家庭をもてば愛情が起こります。愛情は私たちの支えですが、時には苦しみを生み、執着を生みます。また、愛情がなく共に暮らすことは苦痛です。仏教の「出家」は社会のしがらみからの脱出も含みます。好きな友人、嫌いな先生や級友にも煩《わずら》わされない生活です。

次の言葉をお読み下さい。

愛する人と会うな。愛していない人とも会うな。愛する人に会わないのは苦しい。また愛していない人に会うのも苦しい。
それゆえに愛する人をつくるな。愛する人を失うのはわざわいである。愛する人も憎む人もいない人々には、わずらいの束縛《そくばく》が存在しない。

（『ダンマパダ』２１０―２１１詩節）

私たちはこのようには考えられません。愛する人を失うことは悲しい、でもそれは愛を捨てる理由にはならないでしょう。しかし、愛が束縛になったり、思いどおりにならない時に憎しみに変わったりすることは経験されます。親子の間もこの落とし穴にはまらないよう、ソーシャル・ディスタンスがあってもいいのではないか、と思います。そして人間どうしとして向かい合えるようになるといいですね。

参考文献

中村元訳『ブッダの真理のことば　感興のことば』岩波文庫、1978年
もっとも広く読まれているスタンダードな『ダンマパダ』の翻訳です。

アルボムッレ・スマナサーラ『原訳「法句経(ダンマパダ)」一日一話』佼成出版社、2003年
Kindleでも読める、スリランカのお坊さんのやさしい解説つき翻訳です。

中村元訳『ブッダのことば――スッタニパータ』岩波文庫、1958年
最古の経典といわれるブッダのことばを集めた書物のスタンダードな翻訳です。

手塚治虫『ブッダ』潮出版社、希望コミックス、1972―1983年
コミックですが、ブッダの伝記にもとづき、丁寧《ていねい》に描かれています。Kindle版もあります。

回答3 親とはそもそも重圧である――儒教の超絶的親孝行……………小倉紀蔵

単に「悩んでいる」というていどであれば、それはふつうのことですし、むしろ「親との関係についてなんの悩みもない」というほうがめずらしいことだと思います。親との関係について悩むことは、人間として成長していくうえで必須の、きわめて重要な経験なのです。ですから「悩んでいる」という度合いが比較的軽い場合には、「それはとてもよい悩みだからもっと大いに悩んでください」とだけいいたい。「そんな悩みから逃げようとしてどうするんだ」と。

というのは、私は東アジアの哲学・思想を専門としており、特にフィールドとしては日本や中国のこともやっていますが、メインは朝鮮半島です。

そんな私は1988年から8年間、ソウルの大学で勉強していました。その当時の韓国には、いまよりもずっと色濃く、儒教の影響が残っていました。儒教というのはご存知のとおり、「仁」とか「忠」とか「誠」とか、いろいろな道徳を強調するのですが、韓国の儒教では特に「孝」が強調されます。親孝行の孝です。

孝とは、先祖代々の血のつながりをもっとも重要視し、祖父から父へ、父から自分へ、という連続性のなかで自己が生まれ育っていることに神秘性と感謝とよろこびを感じ、その気持ちを態度に示すことです。

1980年代の日本では、すでに孝のような古くさい封建《ほうけん》道徳のようなものは価値のないものとされていました。少なくとも都市部の高学歴でリベラルな人たちは、そう思っていました。

だが韓国では状況は全然違っていました。若者はみな信じられないほど親孝行で、親に感謝し、礼儀正しく接し、天を仰ぐように父母を敬《うやま》っていました。都市部かどうかとか、学歴が高いか低いかとか、政治的信条がどうとかなどということとは関係なく、親は絶対的な存在でした。

私は心底びっくりしたものです。韓国人は外見は日本人とほとんどよく似ているのに、中身はまるで異なる人たちなんだな、親に対するこの尋常でない尊敬心と宗教のような帰依心《きえしん》は、いったいなんなんだろう、と驚愕《きょうがく》したのです。

「親ガチャ」なんていうことばはもちろんありませんでしたが、そういう考え方自体がありえませんでした。ものすごく貧乏な学生もたくさんいました。大学では昼休みになるとみんなで食堂に行き、ふつうの学生は、１００円もしない粗末な定食を食べるのです。定食はいつも一種類しかなく、古々米を使ったごはんにキムチと質素な惣菜《そうざい》と一椀《わん》のスープがついているものでした。しかしその安い食事の券も買えない貧しい学生も多くいました。そういう学生は弁当箱にごはんとキムチだけを詰め込んで来ます。そして食堂で、ほかの学生たちの定食の惣菜をもらって食べるのです。「もらうよ」ということばもかけません。となりにすわった学生の惣菜に、黙って箸《はし》を出して取って食べるのです。日本だったら、「なんで自分は貧しい家に生まれたのか。格差を憎む。親ガチャの最《さい》たるものじゃないか」と恨《うら》み節《ぶし》になるところですが、韓国の場合はそうなりません。そういう貧しい学生でもこころから親に感謝し、親を尊敬し、「孝道」(親孝行のことを韓国語でこういいます)を尽《つ》くしていました。

韓国の孝道はすでに宗教の領域でした。日本の親孝行のような単なる個人的な行為なのではなく、宇宙全体を包み込んでいる「孝」という生命エネルギーを信仰する強烈な宗教だったのです。

儒教の孝を規定したもっとも有名な古典は『孝経《こうきょう》』です。この経典では、親のもとに自分が生まれたのは、宇宙的な一大連環のなかのできごととされています。そしてそういう壮大な「物語」を、１９８０年代までの韓国人は信じていたのです。


しかし、しかし、しかし、です。それは韓国のオモテの世界の姿なのでした。

たしかに孝道を真摯《しんし》に実践《じっせん》している人たちは日本よりもずっとずっと多かったのですが、実はそうではない人たちも多かったのです。日本と違って韓国は、理念重視の社会なので、「好ましい理念がどのように社会にきちんと浸透《しんとう》しているのか」ということが社会を認識するときのメインの関心事です。そのときに、「実はこの社会にはさして親孝行が浸透しているわけではない」という切り口のデータやエビデンスにもとづいた報道や研究や認識は、ほとんどなされなかったのです。「みんながどんなに親孝行なのか」という観点が重要視されていたのです。

ですからその陰で、実は韓国人にとって「孝道」という理念がいかに重荷となっていたかという事実は、闇に葬《ほうむ》り去られていました。

そのことを私に教えてくれたのは、年上のある韓国人でした。「韓国にも父親殺しはあるんだ」と彼はいいました。「父親殺し」というのは、次のような考えです。社会が近代化するとき、個人というものが自立しなくてはならない。古い封建的な因習《いんしゅう》や道徳から自由になり、自己の内面から発出する価値や主体性のみに基づいて自律的に生きていかなければならない。そのときにまずやるべきことは、「家」という旧弊《きゅうへい》のシステムを破壊することであり、もっと具体的にいうなら「父親」を「殺す」ことだ。……これが「父親殺し」という概念です。実際に父親を殺害するというよりも、父親という権威《けんい》的象徴によって表される旧時代の理念や価値を否定してそこから脱する、ということです。西洋だけでなく日本の近代文学においても、重要なテーマのひとつでした。

韓国ではタブーとされているテーマだったので、そういうものはないのだとされていたのです。しかし「そうではない」とその韓国人はいうのです。朝鮮戦争以来、韓国の男たちはどれほど父親を憎み、否定してきたか。そのことがこの社会では完全に伏せられている、というのです。

「完全に孝道が実践されている」と規定されている社会で親不孝をすることの重圧は、想像を絶するものです。

さてここで突然、結論です。日本はそういう社会ではないので、親不孝をしたって全然大丈夫です。重圧はありません。あるいは少なくとも韓国社会よりはずっと楽です。だからどんどん親に反発し、不孝をしてください。みなさんには、親不孝をする権利もあるし条件も整っているのです。

参考文献

加地伸行『孝経　全訳注』講談社学術文庫、2007年

現在もっとも入手しやすい『孝経』のテキストはこれだと思います。儒教に関して独創的な解釈をする加地伸行による訳注と解説。

3 誰も自分のことをわかってくれない気がします

回答1

絆《きずな》をつくる大切さ――教養小説に描かれた若者たち……………佐藤弘夫

いまの大人たちで、かつて若い時分にこのような思いを懐《いだ》いたことのない人は、たぶんいないのではないでしょうか。青春の真《ま》っ只中《ただなか》を生きているみなさんのなかにも、自分をわかってもらえないという、ため息にも似た感情を抱え込んでいる人は多いと思います。だれもが成長の過程で直面し、思い悩むのがこの問題なのです。いったいどのようにしてこの課題と向き合い、折り合いをつけていけばいいのでしょうか。

みなさんがスポーツをするとき、どんな競技でも自分だけの努力ではある程度以上の上達を望むことはできません。サッカーのようなボールひとつを使うシンプルな競技でさえ、指導者がいて蓄積《ちくせき》された技術を使った手ほどきを受けて、立派なプレーヤーになることができるのです。人生の問題もこれと同じです。一人で悩んでいただけではなんの解決にもなりません。人生の先輩による手ほどきが必要です。その宝庫が古典なのです。

「自分をわかってくれない」という思いは、成長の過程でだれもが懐く感慨です。だとすれば、古典のなかからそれに応えられるような分野を探し出せばいいのです。それにぴったりのジャンルの作品群があります。「ビルドゥングスロマン」とよばれるものです。

ビルドゥングスロマンとは、ドイツ語で青年の成長を描く小説という意味で、日本語では教養小説、あるいは成長小説と訳されています。18世紀末に書かれた、ゲーテの『ヴィルヘルム・マイスターの修業時代』がその先駆《さきが》けとされ、その影響のもとに20世紀に入ってたくさんの作品が発表されました。結核《けっかく》のいとこを入院先の療養所《りょうようじょ》にみまった主人公自身が病《やまい》に冒《おか》され、死と向き合いながら人生についての思索《しさく》を深めていくトーマス・マン『魔の山』などは、その代表的な作品です。ここでは、私が学生時代に愛読したヘルマン・ヘッセの『春の嵐』(原題名「ゲルトルート」)をご紹介したいと思います。

この作品の主人公クーンは、恋心を懐いた少女にいいところをみせようとして、そり遊びで大怪我《おおけが》を負い、一生癒《い》えない障害をもった体になってしまいます。身体のハンディに左右されない音楽家を目指したクーンの楽曲は、彼とは正反対の豪放《ごうほう》な性格をもったオペラの名優ムオトに評価され、二人の間には深い絆が生まれます。

そんなクーンとムオトの前に、ゲルトルートという美しい女性が現れます。クーンは彼女に心を奪われますが、結局彼女と結ばれたのはムオトでした。クーンは強烈な心の葛藤《かっとう》を経て、やがて静かにすべての現実を受け入れる心境に到達し、二人の結婚式にオルガン曲を贈ります。物語は、ムオトに先立たれたゲルトルートとクーンが、互いのありのままの姿を認め合い、穏やかな友情に包まれて晩年を過ごす様子を描いて終わります。

こう書くと、なんのことはない、普通の恋愛小説と思われるかもしれませんが、移ろいゆく登場人物たちの心の動きが繊細《せんさい》な筆致《ひっち》で表現されており、はじめて読み終えたときの感動はいまでも胸に残っています。

日本の作品でも、九州から東京の大学に進学した主人公がさまざまな人物と巡《めぐ》り合いながら成長を遂《と》げていく様子を綴《つづ》った夏目《なつめ》漱石《そうせき》の『三四郎《さんしろう》』などは、教養小説とよぶにふさわしいものです。ぜひこれらの作品を実際に手に取って、先人たちがどのような葛藤を懐きながら、青春時代を手探りで歩いたかをみていただきたいと思います。一生の出会いとなるような作品に巡り合えることを願っています。

その上で、みなさんに一つ考えていただきたいことがあります。それは、人が自分を理解してくれないと嘆《なげ》く前に、果たして自分は他人を理解できているのか、理解しようと努力しているのかという問題です。そもそも、私たちは自分自身をどれだけわかっているのでしょうか。

教養小説にでてくる主人公は、さまざまな煩悶《はんもん》と葛藤を経て人格の成熟へと向かいますが、決して一人でそれを成し遂げたわけではありません。クーンの場合にはゲルトルートやムオトがいました。リアルなわが身の姿は、それを映し出す鏡があってはじめて明らかになるのです。それは親であり、友人であり、恋人であるかもしれません。教養小説は自分を映してくれる存在を見つけ出し、大切にしていくことの意味を教えてくれます。人は他者との関係性のなかにおいてのみ、自分を磨《みが》き、輝かせていくことができるのです。それに気づいたとき、あなたは周囲の人を、これまでよりずっと深く理解できるようになっているにちがいありません。周囲があなたを見る目線もきっと変わっていることでしょう。

みなさんが幼少のときに読んだかもしれない絵本に、エリック・カールの『ごきげんななめのてんとう虫』（もりひさし訳、偕成社）があります。小さなてんとう虫は自信が持てないために、同じてんとう虫の仲間にはじまって、自分よりも大きな虫や動物たちに次々と喧嘩《けんか》を売っていきます。そうした遍歴《へんれき》を経て、やがて等身大《とうしんだい》の自分に気づいて、最後は仲違《なかたが》いしたてんとう虫と、なかよく餌《えさ》を分けあって食べるのです。

人を理解することはとても難しいことです。誰かと完全にわかり合うことなど、おそらく不可能でしょう。なかでも、折り合いをつけるのに一番困難なものは自分自身です。私はみなさんよりずっと長く生きてきましたが、いまだに自分が何者で、どこに行こうとしているのかわかっていません。

人は一人では生きられない存在です。いくら嫌だといっても、他人を完全に拒絶することなどできないのです。周囲の人々と、喜怒哀楽《きどあいらく》の感情を共有し、少しずつ自分の心を開いていけるよう努力する。ときには抱き合って喜びを爆発させる。その感動はやがて消え去りますが、その積み重ねのなかに、自分と人を結ぶ絆は確実につくられていくのです。

参考文献

トーマス・マン『魔の山』上・下、関泰祐・望月市恵訳、岩波文庫、1988年

この作品は新潮文庫にも収録されています。マンの作品では、文学青年の内面の葛藤を描いた『トニオ・クレーゲル』もお薦《すす》めです。

ヘルマン・ヘッセ『春の嵐――ゲルトルート』高橋健二訳、新潮文庫、1950年

1910年、ヘッセ33歳のときの作品です。ヘッセは日本でもっとも親しまれている外国人作家の一人で、1946年にノーベル文学賞を受賞しています。

夏目漱石『三四郎』新潮文庫、1948年

文豪夏目漱石の代表作です。三四郎のモデルは、東北大学の教授を務めた漱石の弟子の小《こ》宮豊隆《みやとよたか》であるといわれています。

回答2　「人間」をつくる――古代インドの人生儀礼……………梶原三恵子

誰も自分のことをわかってくれない――実は、この気持ちは多くの人が抱えています。誰もわかってくれないと思いながら生きるのはつらいことです。人はひとりなのだという孤独をつきつけられるからです。

「誰もわかってくれない」と思ってしまう悩みは、主に二種類考えられます。ひとつは、友人関係や家族との折り合いなど、周囲との関わりについてのものです。そうした悩みは、人に相談すれば助けを得られる可能性があります。相談するのには勇気がいるでしょうが、あなたの話を聞いてくれる人を探してみてください。

紀元前12世紀から前3世紀頃のインドでは、「ヴェーダ」(原義は「知識」)と総称されるバラモン教の聖典群がつくられました。当時の宗教や哲学の知識を集成したものです。これを学べるのは、当時の社会の最上位にあったバラモン階級の人だけでした。師匠《ししょう》に入門するときには、名前を尋《たず》ねられ身元を確かめられるしきたりでした。

ヴェーダ文献群《ぶんけんぐん》のうち前6世紀頃のものに、サティヤカーマという少年の物語が収められています。彼はヴェーダを学びたいと志《こころざ》すのですが、父親が誰かわからないと母親から告げられました。つまり自分の生まれの階級がわかりません。それでもあきらめず、先生のところへ行って入門を申し込みます。

彼〈注—サティヤカーマ〉に〈先生は〉言った、「さて、いとし子よ、君はどの家系の者か」と。彼は言った、「私がどの家系の者なのか、私はそれを存じません、あなた様。〈中略。母から、父親が誰かわからないので、サティヤカーマ・ジャーバーラ〈ジャバーラーの息子サティヤカーマ〉と名のるように言われたことを告げる〉それで私は、サティヤカーマ・ジャーバーラです、あなた様」と。彼に〈先生は〉言った、「バラモンでない者は、このようには言えない。薪を運んで来い、いとし子よ。君を私は入門させよう。君は真実から離れなかった」と。

〈『チャーンドーギヤ・ウパニシャッド』4・4・4—5。〈 〉内はサンスクリット語を和訳した際の補い〉

サティヤカーマは、出自がわからないと正直に話したことで、バラモンと同等だと先生に認められ、入門を許されたのでした。ちなみに、サティヤカーマという名前は、「真実(サティヤ)への欲(カーマ)をもつ人」という意味です。

「誰もわかってくれない」と思ってしまう悩みのふたつめは、「本当の自分をわかってもらえない」という、自己の内面についてのものです。人はみな、社会でそれぞれの役割を演じながら生活しています。他人が見ている自分が、本当の自分とは違うと感じても、それを説明することは簡単ではありません。

もう一歩ふみこんで考えてみましょう。あなた自身は、「本当の自分」をわかっているのでしょうか。

紀元前1世紀頃の成立とされる『ミリンダ王の問い』という仏教文献には、ナーガセーナという仏教の高僧と、当時の西北インドを支配していたギリシア人のミリンダ王(メナンドロス王)の、様々な哲学的対話が収められています。対話は、王に名を尋ねられて、ナーガセーナが答える場面から始まります。

「大王よ、わたくしはナーガセーナとして知られています。（中略）」（とナーガセーナは答えた。）（中略）『ナーガセーナ』と呼ばれるところのものは、いったい何ものですか？ 尊者ナーガセーナよ、髪がナーガセーナなのですか？」（とミリンダ王は尋ねた。）「大王よ、そうではありません」「身毛がナーガセーナなのですか？」「大王よ、そうではありません」（後略）

（『ミリンダ王の問い』1・1・1、中村元・早島鏡正訳。〔 〕内は訳文を一部略した際の筆者による補い）

では「ナーガセーナ」は存在しないのか。王にそう問われて、ナーガセーナは逆に問い返します。王が乗ってきた「車」とは何か。轅《ながえ》が車なのか。軸が、輪が、車体が、車なのか。王は、いずれも違うと答えます。話はここから仏教教理の議論に入るのですが、この問答だけみても、「本当の自分とは何か」というのは意外と難しい問いだということがわかるのではないでしょうか。

古代インドの人々は、自己とは何か、死後の自己はどうなるのか、といった問題について思索《しさく》を重ね、ふたつの生き方を考え出しました。

ひとつは、家庭生活を捨てて隠遁《いんとん》する道です。林で暮らしたり遍歴《へんれき》をして、愛着の対象を捨てて悩みを消し去ることをめざすのです。これはもちろん極端な方法です。関わりのある人々を捨て、最終的には自分をも捨ててしまうのですから。この道は、出家修行をするお坊さんたちや年老いた人たちだけに限られていきました。

もうひとつは、日常生活に踏みとどまって生きる道です。古代インドには、「儀礼によって人間を形作る」という考え方がありました。赤ん坊が生まれると、その子が長生きするよう祈る儀礼と、名づけの儀礼をします。そして、お食い初《ぞ》め、初めての外出、初散髪《さんぱつ》、師匠への入門、学習、修了、結婚、というふうに、人生の節目《ふしめ》節目で儀礼を行います。それによって一人前の人間を形成していくのです。子供のうちは、儀礼から儀礼へと通過させることで成長を支えます。大人になったら、次の世代の子供たちを儀礼を重ねることで育てます。

安全に生きていけること、真実のみを語って正しい振る舞いをする人になることなどが、儀礼のなかで祈願されました。

自分について考え過ぎると、孤独の深淵《しんえん》をのぞきこむことになります。あなたも含めて誰も、他人のことは本当にはわかりません。それを認めて、まずはこれからの人生のさまざまな節目を、ひとつずつクリアしていってみませんか。

参考文献

『ミリンダ王の問い――インドとギリシアの対決』中村元・早島鏡正訳、平凡社（東洋文庫）、全3巻、1963―1964年

パーリ語原典からの翻訳です。詳しい解説がついています。

梶原三恵子『古代インドの入門儀礼』法藏館、2021年

インドの二大人生儀礼といえるのが、入門と結婚です。前者について詳しく説明した本です。原典引用の多い専門書ですが、和訳と解説の部分だけで通読できます。

回答3　分かってもらえなくとも、怒らないのが君子《くんし》です………渡邉義浩

――孔子《こうし》の辛《つら》さ、諸葛亮《しょかつりょう》の理解者

自分のことを分かってもらうのは、難しいことです。『論語《ろんご》』に記されている孔子も、分かってもらえませんでした。問い1の回答(22ページ)で掲げた『論語』学而篇《がくじへん》の第一章の全文は、次のとおりです。

子《し》曰《いわ》く、「学びて時に之《これ》を習ふ、亦《ま》た悦《よろこ》ばしからずや。朋《とも》有《あ》り遠方より来たる、亦た楽しからずや。人　知らずして慍《いきどお》らず、亦た君子《くんし》ならずや」と。

ここで、学び習うことの喜びの次に出てくる「朋」について、三国時代の人、何晏《かあん》による解釈書『論語集解《ろんごしっかい》』は、師を同じくする同門、と説明します。同じ先生に学び習えば、分かりあえそうですね。このため、最後の「人が(自分を)知らなくとも慍《いきどお》ることがないのは、君

子ではないか」という箇所の「人」について、何晏は、一般の人々、とします。同門ならば分かりあえる、という考えを古注《こちゅう》(何晏の『論語集解』を代表とする、次に紹介する朱熹《しゅき》『論語集注《ろんごしっちゅう》』より以前の時代の注をそう呼びます)は崩しません。

これに対して、新注《しんちゅう》を代表する南宋の朱熹(朱子《しゅし》)の『論語集注』は、「人」を「同類の人」とします。朱子は、同じく儒教《じゅきょう》(孔子を祖とする学問)を学ぶ人々と激しく論争して、自らの学問を東アジアの正統に押しあげた人です。同類、つまり同門でも容赦《ようしゃ》ありません。このため、わかってくれないのは「一般の人」という古注の解釈を退《しりぞ》けたのでしょう。いずれにせよ、孔子は、人に理解されないことを大前提として、それでも怒らないことが君子ではないか、と語りかけます。

孔子は、各地を遊説《ゆうぜい》して自分の主張を述べ続けました。しかし、最後まで孔子を理解する君主は、現れませんでした。それへの孔子の愚痴《ぐち》が、『論語』公冶長篇《こうやちょうへん》に記されます。

子曰く、「道　行《おこな》はれず、桴《いかだ》に乗りて海に浮かばん。……」と。

孔子は、「(私の理想とする)道は行われないし、(いっそ)桴に乗って海を行こう」と言っています。孔子のいた魯《ろ》から、海に出て渡ると日本ですから歓迎ですが、孔子ですら自分を分かってくれる人は、少数だったのです。なかなか分かってくれる人はいません。ですから、『論語』学而篇の最後に、孔子はこう述べています。

子曰く、「人の己《おのれ》を知らざるを患《うれ》へず、己の人を知らざるを患ふ」と。

孔子は、「人が自分を知ってくれないことを憂《うれ》えず、(自分が)人を知らないことを憂えよう」と言います。なるほど、と感じるでしょうか。私は、『論語』全編に通底する、人に理解されない孔子の辛さを感じると共に、孔子を理解してくれる弟子たちが側にいたことへの孔子の喜びも感じます。もちろん、最も期待した弟子の顔回《がんかい》は早くに卒《そつ》し、最も愛した子路《しろ》は政争で殺され、子の鯉《り》にも先立たれた孔子の一生を「悲劇」と総括する方もいます。それでも、私は、自分を理解する人を得た孔子を幸せだと思います。

もう一つ、私の専門とする古典の『三国志《さんごくし》』から、自分を理解してもらった例を挙げておきましょう。羅貫中《らかんちゅう》が元《げん》末から明《みん》初(14世紀)にまとめたとされる『三国志演義《さんごくしえんぎ》』という小説では、諸葛亮《しょかつりょう》(孔明《こうめい》は字《あざな》(呼び名))は風を呼ぶ魔術を使う天才軍師として描かれています。また諸葛亮は、陳寿《ちんじゅ》という西晋《せいしん》(3世紀)の歴史家が著した『三国志』では、「荊州学《けいしゅうがく》」という新しい儒教を学んだことが記されています。

諸葛亮が生きた後漢《ごかん》(1—3世紀)は、「儒教国家」と称するべき、儒教がもっとも尊ばれた時代でしたが、それだけに『詩経《しきょう》』など、孔子の時にすでに古典であった書物を解釈する学問(訓詁学《くんこがく》と呼びます)は、複雑を極めていました。みなさんが学校の古典の授業に抱く感覚に近いかもしれません。

諸葛亮は、古典を読むための文法や語彙《ごい》などの勉強には興味はなく、古典に記された真理、具体的には混乱している後漢末の世の中を正すために、孔子が残した真理を求めようとしました。このため、文法や語彙の勉強に熱中する学友たちを横目に、古典の大意《たいい》(大まかな内容)を会得《えとく》すれば良しとしていました。今ならテストに出るような漢字の書き取りや文法問題よりも、自らの理想を実現するために、古典をどのように生かすのかに興味があったのです。この本がみなさんにお伝えしようとしていることに似てますね。

そうした諸葛亮の態度は、同門の中で高く評価されました。同門は良いものです。諸葛亮は、「臥龍《がりょう》」あるいは「伏龍《ふくりゅう》」(まだ伏せていて世に現れていない龍)という人物評価を受け、知る人ぞ知る存在となっていました。

当時、諸葛亮が住んでいた荊州を統治していたのは、劉表《りゅうひょう》という人物でした。後漢の宗室《そうしつ》(皇族)であった劉表は、自らが治める荊州の安定化には熱心でしたが、曹操《そうそう》と袁紹《えんしょう》との対立を軸とする、後漢末の混乱を正そうとする志《こころざし》はありません。諸葛亮は、妻の縁《えん》で劉表と姻《いん》戚《せき》関係であるにもかかわらず、劉表に自分を知られようとはしませんでした。自分のことを理解して欲しい人にしか、自分を分かってもらう必要はない、と考えていたのです。これも、一つの見識ですね。

そこに劉表の客将であった劉備《りゅうび》が訪ねてきます。しかも、自分が諸葛亮を理解しているという誠意を示すため、自ら3回も諸葛亮の家を訪れます。これが「三顧《さんこ》の礼」です。諸葛亮は、後漢末の混乱を鎮《しず》めるために練り上げていた「天下《てんか》三分《さんぶん》の計」を説きます。劉備は、それを基本戦略として、やがて蜀漢《しょくかん》を建国して、天下を三分したのです。

そのとき劉備を支えていた武将の関羽《かんう》と張飛《ちょうひ》は、諸葛亮の志と戦略を理解できませんでした。それでも、劉備が諸葛亮との関係を魚と水の関係に譬《たと》えて説明すると納得します。「君臣水魚《すいぎょ》の交わり」です。諸葛亮は、27歳の時に自分を理解してくれた劉備のために、54歳で五丈原《ごじょうげん》に陣没《じんぼつ》するまで、残りの27年の人生を捧《ささ》げます。自分を分かってもらう、ということは、それほどまでに重みがあります。

誰も自分のことを分かってくれない、という10代の思いは、やがて諸葛亮のように解決する時が来るかもしれません。孔子のように解決しないかもしれません。それでも「慍《いきどお》ら」ないのが「君子」なのです。

参考文献

吉川英治『三国志』全10冊、新潮文庫、2013年

古典として人の生きざまを三国時代に学ぼうとするのであれば、正史の『三国志』よりも、吉川『三国志』の方が断然お勧めです。吉川『三国志』をもとに、さらに読みやすく工夫を加えた横山光輝の漫画『三国志』カジュアルワイド版全25冊（潮出版社、２０２１年）も楽しく、古典への入り口になります。

図３　劉備が諸葛亮を三回訪ねたとされる「三顧堂」（中国湖北省襄陽市、渡邉義浩撮影）

4 なんのために生きているのでしょうか？

回答1 「目的」「統一」「真理」を捨てよ……小倉紀蔵
——弱いニーチェが語ること

人生はむなしい。では、なぜむなしいのでしょうか。それは、なにかのために生きているからです。なにかのために生きるとき、人はつねにその「なにか」に向かってしか生きられない。「なにか」に従属するしかない。「なにか」に支配されてしまっている。その「なにか」を達成したときも、達成できなかったときも、人は、「これまでの人生ってなんだったのか」という気持ちに襲われて、むなしくなる。いやむしろ、達成後ないし未達成後のそのむなしい気持ちを先取りして、「なにか」に向かっている最中にすでにむなしくなってしまう。生きる意味などない。なぜならすべてはむなしいから。

こういう態度をニヒリズムと呼ぶことができます。ニヒルとは無とか虚無《きょむ》のことですので、ニヒリズムは虚無主義と訳されたりします。このニヒリズムというものに対して根源的な思《し》索《さく》をしたのが、19世紀のフリードリヒ・ニーチェという哲学者です。

ニーチェの考えでは、人がニヒリズムに陥《おちい》るのは、「目的」とか「統一」とか「真理」などという虚構《きょこう》を信じてしまうことに起因しています。そういうものは、ないのです。ないのにあると考えてしまうと、目的を絶対化してそれに向かって生きたり、統一を理想化してそうでないものを排除《はいじょ》したり、真理を見つけてそれに同一化しようとしてしまう。しかしそういう態度は、そもそもないものをあると思い込んでしまっているわけなので、そういうことをいくら一生懸命やったとしても、「無価値性の感情」つまり「価値や意味がないというむなしさ」にますます陥ってしまうのです。

では、人はなぜ、あるわけでもない目的や統一や真理などというものをあると思い込んでしまうのでしょうか。ニーチェの考えでは、それは、人間が尊厳《そんげん》を失ったからです。ではなぜ尊厳を失ったのか。それは、人間が自分を、「高い価値のなにか」と同一化したいと思っているからです。典型的なのは道徳です。道徳といえば、ふつう、価値が低いとは思われず、価値が高いと考えられている。だから人は、不道徳よりは道徳と自分を一体化させたいと考える。道徳的であればあるほど、高い尊厳を体現した人間になれるだろうと思い込んでしまう。だから人間は、腐敗《ふはい》するのです。高い価値かどうか厳密に吟味《ぎんみ》されてもいない道徳というものに、自己を売り渡してしまう。そして自分の価値を高めようとしてしまう。それは、高価な宝石やブランド品を身につけることによって自分の価値を高めようとするのと同じことなのです。

道徳は、それを信じる人間に、目的や統一や真理などという虚構を信じることを命じます。「他人を手段として扱ってはならず、つねに目的として扱え」「バラバラで無秩序《むちつじょ》な生を歩まず、つねに統一的で秩序ある生を歩め」「真理をもっとも尊び、真理にもとづいた正しい生を営《いと》なめ」。人の尊厳を毀損《きそん》するこのような命令に、人びとを従わせます。

なぜこういう命令は尊厳を毀損するのか。「高い価値を持つなにか」に人びとを従属させようとするからです。人間は、高い価値のなにかのために生きているのではない。生きていることそのものが、すでに輝いており、尊厳に満ち溢《あふ》れているのです。犬や猫は、道徳と自分を同一化したくて生きているのではありません。自分のふるまいがそのまま、種《しゅ》としての犬や猫としてふさわしいふるまいなのです。それこそが、犬や猫としての尊厳なのです。そこに道徳という余計なものを持ち込んで、自らを貶《おとし》める必要はありません。

それでは、道徳に依存せず、ニヒリズムに陥らない生とは、どんなものなのか。それをニーチェは、「総合的人間」ということばで表現しています。このことばは彼の生前には本にはならず、遺稿《いこう》として残されたメモ群《ぐん》のなかで語られています。のちに彼の妹らが『権力への意志』というタイトルで編集して本にした原稿群です。

この「総合的人間」というのは、同じくニーチェの有名な『ツァラトゥストラはこう語った』という本の段階では「超人」と呼ばれていたものです。超人というと、「なにか特別な能力を持った最強の人間」というもののように思ってしまいますが、そうではありません。逆に、強くはなくて弱い人間です。

というのは、超人も総合的人間も、これまでの人類が「高い価値」と考えてきたものを拒絶するという意味では同じなのです。そして人類の歴史においては、「高い価値」と考えられてきたもの、たとえば道徳や統一や真理などといったものを手にした人びとが、勝利をしてきたのです。そして勝利をした陣営の人びとは、その勝利を他者に手渡さないように、ますます「高い価値」と合一化しようとしてきましたし、そのことによって世界での支配権を独占しようとしてきました。だからこういう人たちは、「強い人たち」なのです。

しかし超人や総合的人間というのは、高い価値や道徳などとは無縁なのだから、「強い人たち」からは排除された「弱い人たち」なのです。ニーチェ自身の用語では超人は「強い人」なのですが、これは逆説的な表現であって、人類一般の社会でいうなら、「高い価値」を持たない「弱い人」です。

この人たちは、どういう特徴を持っているのか。ニーチェによれば、総合的人間とは、自分のなかにあらゆる矛盾《むじゅん》と混乱と対立と他者とを無秩序に混在させる人間です。そこに目的も統一も真理もありません。他者の主体性を自分のなかで多重的に共存させることのできる人間であり、その多数性・多様性をなんらかの「高い価値」の道徳や真理などによって整理したり秩序づけたりしない人間なのです。そして、意味も目的も統合性もなくただひたすら多数性・多様性をありのままに生成させることのできる多重的な主体です。

ニーチェは、来たるべき新しい世紀には、こういうタイプの人間が生まれなくてはならないと考えました。そのときニヒリズムは価値を顚倒《てんとう》させつつ再生し、「生は無価値で無目的だからむなしい」のではなく、「生は無価値で無目的だからこそ光り輝いている」という新次元に突入する、と考えたのです。

参考文献

ニーチェ『権力への意志』上・下（ニーチェ全集12・13）、原佑訳、ちくま学芸文庫、１９９３年

ニーチェが「総合的人間」について語ったもっとも重要な本は、これです。人気のある『ツァラトゥストラはこう語った』では「超人」という語が使われましたが、実はそれよりも「総合的人間」のほうがずっと重要な概念です。

回答2　自分より大切なものの発見――他者に尽くした人々の物語……佐藤弘夫

みなさんは、小学館のコミック誌に掲載されている間瀬元朗の『イキガミ』という漫画をご存じでしょうか。舞台は未来の日本を思わせる社会です。そこでは、国民に生の価値を認識させる目的で制定された「国家繁栄維持法」という法律があって、小学校に入るときに全員がワクチンの注射を打つことを義務付けられています。その注射には、千分の一の確率で微少なカプセルに入った毒薬が仕込んであって、18から24歳の間に破裂する仕組みになっています。その24時間前に、当人に死亡予告証が届けられるのですが、それが通称「逝紙《イキガミ》」です。

日本は世界有数の長寿社会です。若いみなさんには、「死」などどこか別世界の出来事のように感じられることでしょう。しかし、私たち誰にとっても死は決して無縁の出来事ではありません。人は死ぬことを運命づけられています。日々のニュースをみれば、多くの人が事故などで命を落としていますが、それは年齢とは関係ありません。「イキガミ」が届かなくても、死がいつ降り掛かってくるか、誰も予測しようがないのです。だからこそ古今東西の思想家や哲学者が、有限の生を持った人間が生きることの意味を探求し続けてきたのです。

人はなんのために生きるのか――この問いに正解はありません。それを前提とした上で、もう少しこの問題に踏み込んでみたいと思います。2011年の3月11日、東日本大震災が日本列島を襲いました。巨大な波があらゆるものを飲み込みながら内陸に押し寄せる光景は、世界中の人々に衝撃《しょうげき》を与えました。この震災は2万人近い死者・行方不明者を出しましたが、そのなかに、死なずに済んだはずのたくさんの人々が含まれていたのです。

家族を助けるために津波に飲み込まれた人がいました。水門を閉めるために防潮堤《ぼうちょうてい》に走って命を落とした消防団員がいました。見ず知らずの他人を庇《かば》って一緒に渦《うず》に巻き込まれた人がいました。避難誘導のアナウンスをしていて逃げ遅れた役場の職員がいました。これらの人々は、自分の避難を優先すれば死なずに済んだはずです。なぜ、そうしなかったのでしょうか。

佐野洋子の『100万回生きたねこ』という絵本があります。主人公のトラ猫は、何度死んでも生まれ変わることのできる猫でした。死ぬたびに飼い主たちは猫の死を悼《いた》んで涙を流しますが、猫はその様子を冷ややかに眺めるだけでした。あるとき野良猫に生まれて自由な生活を満喫《まんきつ》していた主人公は、一匹の白い猫に恋心を懐きます。やがて二匹は結ばれて、たくさんの子猫に恵まれて幸せな日々を過ごしますが、年老いた白猫は先に息を引き取ります。猫は悲しくて、何日も泣いたあげく、白い猫のそばで動かなくなります。猫は、今度ばかりは生き返ることはありませんでした……。

どうして主人公は生まれ変わって、新しい生を求めようとはしなかったのでしょうか。「ねこは、白いねことたくさんの子ねこを、自分よりもすきなくらいでした」という言葉が鍵《かぎ》になるように思います。猫は100万回の生死の果てに、その人(猫)なしには生きる意味を見出しえない存在に出会ったのです。初めて自分よりも大切なものを見つけたのです。

私は、自身より価値あるものの探求と発見こそが、何のために生きるのかという問いに対する一つの答えではないかと思っています。古典には、それを示唆《しさ》するようなたくさんのエピソードが綴《つづ》られています。

平安時代の説話文学『今昔物語集《こんじゃくものがたりしゅう》』の一話です。昔、ある寺に一人の僧が住んでいて、『法華経《ほけきょう》』を読むことを日課としていました。いつしかそこに龍が訪ねてきて、読経を聴くようになりました。僧と龍はとても仲のいい友人になりました。

ある年、畿内《きない》はひどい日照りに襲われました。まったく雨が降らず、すべての穀物《こくもつ》は枯れてしまいそうになりました。この当時、雨を司《つかさど》っているのは龍であると信じられていました。龍と仲のいい僧の話を聞いた天皇は彼を呼び出し、龍に頼んで雨を降らせるよう厳命し、それができないなら僧が日本にいられなくすると申し渡しました。

寺に帰った僧がこのことを龍に話すと、龍は実は雨を支配しているのは自分ではなく、天界に住む守護神であること、もし自分が勝手に天の「雨戸」を開いて雨を降らせれば、神々に殺されてしまうと話しました。その上で、長年の恩に報いるためにあえて雨戸を開けるが、自分の死体のある池のほとりに供養《くよう》のために寺を建てて欲しいと告げて、天に昇っていきました。

果たして龍の言葉通り、すぐに雨が降り始め、三日三晩止《や》むことはありませんでした。雨が上がった後、龍が話した山上の池を訪ねると、水は紅く染まり、池のなかにはばらばらになった龍の死骸《しがい》がありました。僧は龍の願い通りそこに寺を建て、冥福《めいふく》を祈りました……。

他者を救うためにわが身を犠牲《ぎせい》にした龍に感謝し、人々は寺を建立《こんりゅう》しました。これは龍が主人公ですが、自分の命と引き換えに多くの人を救った人物が崇敬《すうけい》され、神として崇《あが》められるケースは日本各地にみることができます。千葉県の成田市にある宗吾霊堂《そうごれいどう》(東勝寺)は、高い年貢《ねんぐ》に苦しむ領民を代表して幕府に直訴《じきそ》し、処刑された佐倉惣五郎《そうごろう》を祀《まつ》った施設です。

人が自分以上に大切な存在と巡《めぐ》り合うのは、多くの場合、父や母になったときです。そうでなくても、私たちは生きていくなかで、人のために何かをする喜びに目覚めていきます。それは、自身の命がたくさんの他者に支えられていることに気づくことにほかなりません。津波で誰かのために亡くなった人たちは、自身よりも価値あるものが実在することを、身をもって示したのです。だから私たちはその行いに感動し、感謝の念を懐き続けているのです。

ただ、一つだけ気をつけなければならないことがあります。もっとも大切な存在が国家であったり、特定の神様であったりとする思想が、強制的に上から刷《す》り込まれてしまうことです。日本でもかつてそういう時代がありました。それを避けるためにも、みなさんにはいつまでも輝きの失せない先人たちの生き方を、古典のなかからじっくりと時間をかけて学んでほしいのです。

参考文献

佐野洋子『１００万回生きたねこ』講談社、１９７７年

現代の童話ですが、「古典」と呼ぶに値するだけの、人生の意味について深く考えさせる内容をもっています。

『今昔物語集』新日本古典文学大系、岩波書店、１９９９年

殺された龍の話は、原本では巻13の33話(本朝仏法部)です。講談社学術文庫からは、現代語訳が出ています。

回答3　どのようにしてこの自分を生き抜くか……………木村勝彦

――ニーチェからの問いかけ

私たちの存在は運命として与えられたものです。私たちは生存の条件や環境を自分で選択したわけではなく、自己意識をもった時には既に世界の中に投げ出されていたのであり、その気づきから生き始めなければなりませんでした。しかし、そのことは必ずしも、私たちの人生になんのためにと問われるものがあらかじめ与えられていることを意味しません。なんのためにという問いは、私たちに選択と決断を迫るものであり、私たちはその答えを自分自身で追求していくしかないのです。重要なことは、「なんのために生きているのか」ではなく、「どのように生きていくのか」にほかなりません。

このことを考える手がかりとして、フリードリヒ・ニーチェの自伝『この人を見よ』を紹介します。ニーチェが自身の思索《しさく》の遍歴《へんれき》と主要な著作について回顧《かいこ》したこの著作には、彼の思想のエッセンスがつまっています。題名の「この人を見よ」は新約聖書に由来しますが、注目すべきことはニーチェがこれに「ひとはいかにして本来のおのれになるか」(手塚富雄訳、以下同じ)という副題をつけていることで、この言葉こそが全篇を貫《つらぬ》くテーマとなっています。そして、著作全体は「序言《じょげん》」、「なぜわたしはこんなに賢明《けんめい》なのか」「なぜわたしはこんなに利発なのか」「なぜわたしはこんなによい本を書くのか」「なぜわたしは一個の運命であるのか」の各章から構成されています。著者がこれほど大言壮語《たいげんそうご》し、傲慢《ごうまん》なタイトルをつけていることに、みなさんはまず驚きと疑わしさを感じることでしょう。

しかし、これらはすべてニーチェの思想的な戦いの証《あかし》であり、自分がどのように生きてきたのかについての痛切な告白なのです。ですからこの著作には、私たちがどのように生きていくのかを考える上で示唆《しさ》を与えてくれる言葉が満ちています。それらの言葉を通してニーチェは、「ひとはいかにして本来のおのれになるか」というきわめて主体的な問いを私たちに突き付けるのです。

ニーチェのこの問いは、「自分自身を一個の運命のように受けとること、自分が「別のあり方」であれと望まぬこと」、すなわち「運命愛」によって今の自分自身を全面的に肯定《こうてい》することを、私たちに促《うなが》すものです。私たちに与えられているのは、現に生きているこの人生だけであり、ほかにはなにもありません。そして、そこでなにをなしとげるかは自分自身の生き方によって確認していくしかないのです。今の自分の境涯《きょうがい》を嘆《なげ》いて「別のあり方」を望んだところで、それは空《むな》しいことです。むしろ今の自分を「一個の運命」として決然と受け入れることで、積極的で力強い生き方が可能となります。つまりここでニーチェが私たちに問いかけているのは、「どのようにしてこの自分を生き抜くか」ということにほかならないのです。

そうした私たちの創造的な生き方を可能にするのは、精神の自由な飛翔《ひしょう》であり、それは自分に対する確固たる自信と信頼によってますます輝かしいものとなります。「このことができるのはわたしだけだ」と認識する」自由において、私たちはもっとも生き生きとした精神的活動ができるのだと、ニーチェは述べています。さまざまな可能性があるなかで、自らの主体的選択により本来的な自分を切り開こうとするとき、みなさんの未来は実り豊かなものとなり得るのです。「わたしは自分の未来を——ひろびろとした未来を！——静かな海を見るような気持ちで見ている」。

とはいえ、みなさんはこれから先の人生において、さまざまな挫折《ざせつ》を味わい、苦い涙をいくたびも流すかもしれません。「今までよりいっそうおぼつかなく、いっそう感じやすく、いっそうもろく、いっそう打ちくだかれた状態」になって、前途《ぜんと》に希望を感じられなくなることもあるでしょう。しかし、みなさんは自身で選択した進路を戸惑《とまど》いながらも歩み続けることで、「いっそう豊かになり、新しい自分になり」、「まだ名づけようもない希望にみち、新しい意志と奔流《ほんりゅう》」にみちた自分を感じ取って、より高い自己への向上を目指すようになるはずです。

今ある自分とその境涯がまさに現にある通りでしかないことを受け入れたうえで、それを自らの充実した生を実現する方向へと意志的に変えていくことによって、みなさんの人生に「なんのために生きていくのか」という意味を与えることができるのです。たとえ「生のもっとも異様な、そして苛烈《かれつ》な諸問題」に見舞われても、自分自身の「生に対して「然《しか》り」ということ」が、「窮極《きゅうきょく》的な、この上なく喜びにあふれた、過剰《かじょう》なまでの意気盛《さか》んな生命肯定」なのだと、ニーチェは訴えかけます。今を生きるこの自分自身の生命を肯定することこそが、なんのために生きていくのかの大前提です。

ニーチェは、「君たちはまだ君たち自身をさがし求めなかった。さがし求めぬうちにわたしを見いだした。（中略）いまわたしは君たちに命令する。わたしを捨て、君たち自身を見いだすことを」と述べ、ニーチェを乗り越えて自己探求していくことを読者に対して求めます。古典と出会い、それに感銘《かんめい》を受けた後には、その感銘を手がかりにして私たちは自己探求をはじめなければなりません。古典を読むことの意義は、「見いだした」古典を捨てて自分自身をさがし求めはじめることにあります。

なんのために生きているのかという疑問を、なんのために生きていくのかという主体的な問いとして受けとめ直し、これからの人生行路を前向きに切り開いていくことが重要です。「いっさいの「そうであった」を「わたしはそう欲したのだ」に造り変えること――これこそはじめて救済の名に値しよう」というニーチェのメッセージは、将来への不安に思い悩むみなさんへの励ましとなるのではないでしょうか。「約束の中にこもる大いなる安らぎ、単なる約束で終るはずのない未来へのこの幸福な展望！」こそ、『この人を見よ』から私たちが読みとるべき希望の伝言なのです。

参考文献

ニーチェ『この人を見よ』手塚富雄訳、岩波文庫、１９６９年

一人の人間が全身全霊で既存《きそん》の価値観と戦い、自分の「運命」を受け入れた軌跡《きせき》として迫力に満ちた古典となっています。本文でも触れましたが、題名の「この人を見よ」(ラテン語でエッケ・ホモ）は新約聖書のヨハネによる福音書に由来する言葉で、受難のイエスを指し示しています。キリスト教を否定したニーチェが、なぜこの言葉を自伝の題名にしたのかを考えてみることも、読書の深まりにつながるでしょう。なお、本文中の引用はすべてこの岩波文庫版の訳書によっています。

図4　晩年のニーチェ像（ハンス・オルデによる素描）

5 本当の自分を見つけたいのですが、どうすればよいでしょうか?

回答1 本当の自分に到着するためのレッスン……………中島隆博

――『論語』が語る「君子」

文学作品を読んだり、歌を聴いたりすると、「そうそう、こんなふうに言いたかったし、このように感じていた」と思うことがありますね。まるで、その作品の中に「本当の自分」がいるように思うわけです。あるいは、友人との人間関係に苦しんでいる時に、他人からあてがわれる自分の像が、まったく自分ではないように感じて、「本当の自分」はそうじゃないのに、と思うこともあるでしょう。そんな時、「本当の自分」はどこにいるのでしょうか。

人によっては、「本当の自分」なんてそもそもいないのだから、探し回るだけムダだと言う人もいます。自分なんて常に変化しているのだから、その都度《つど》の自分を受け入れた方がよいと言われるかもしれませんね。確かに、物心つく前の自分と物心ついた後の自分が同じだとはなかなか思えません。また、物心ついてからも、自分の感じ方や考え方、習慣がどんどん変化していることも否定できません。

それでも、どこかに自分らしさがあり、それがある程度一貫していて、あの時の自分も自分だったと思うことはよくあります。「自己同一性」という難しい言葉がありますが、あの時の自分と今の自分が同一であるという感覚は実に貴重なものです。それを失うと、精神的に辛《つら》くなったり、身体に不調をきたしたりすることがままあります。

しかし、「本当の自分」ということで問われているのは、単なる「自己同一性」ではなさそうです。それは「自己同一」という意味では同じ自分ではあるけれども、今の自分とは根本的に異なっていて、自分の真の感情や思いが十二分に発露《はつろ》した状態であると言っておきましょうか。もしそうであれば、「本当の自分」に到着するためには、何らかのレッスンが必要になります。
そのレッスンには言葉を磨《みが》くレッスンと心身を習慣化するレッスンの二つがありそうです。冒頭で、作品の登場人物の言葉がまるで自分の言いたかったことのように思うことに触れました。作家や詩人あるいは作詞家は何て特別な才能を持っているのだろうと思うかもしれません。しかし、その人たちもまたレッスンを通じて言葉を獲得し、それを磨いてきたのです。それはとても単純なレッスンで、過去のよい作品を読み、それに触発《しょくはつ》されて何かを書いてみるというものです。よい作家が文学の知識を豊かに有しているだけでなく、それを独自の観点から解釈しているというのはよくあることです。

もうひとつは心身を習慣化するレッスンです。禅寺《ぜんでら》の修行を思い浮かべてみましょう。衣食住すべてにわたって事細《ことこま》かに規則が定められていて、それを身につけるだけでも大変そうです。修行のために入山したはいいものの、早々と逃げ出してしまう若いお坊さんも少なくないそうです。それでもそこをこらえて一年も過ぎれば、お坊さんに必要な習慣を心身ともに身につけることになります。いちいち意識化せずとも、自然に規則に則《のっと》った振る舞いができるようになるのです。規則に従うことで、かえって心身ともにより自由になる。これが習慣化のよいところです。お坊さんではないみなさんなら、社会の規則やその成り立ちを学んで身につけることになるでしょうか。

ここで古典を参照してみましょう。『論語』季氏《きし》の一節を引いてみたいと思います。孔子《こうし》の子どもに関する話です。

陳亢《ちんこう》が孔子の子伯魚《はくぎょ》にたずねた。「あなたは(注―父である孔子から、わたしたちの聞けない)なにか特別なことを聞いたことがありますか」。

伯魚は答えた。「そんなことはありません。ただあるとき父がひとりで立っていました。わたしが小走りして庭を通り過ぎようとすると、「詩は学んだか」と言いました。わたしが「まだです」と答えると、「詩を学ばないと、何ものが言えないよ」と言いました。わたしは退《しりぞ》いて、詩の勉強を始めました。別の日に、やはり父がひとりで立っていました。わたしが小走りして庭を通り過ぎようとすると、父は「礼は学んだか」と言いました。わたしが「まだです」と答えると、「礼を学ばないと、ひとり立ちしてやっていけないよ」と言いました。わたしは退いて礼の勉強を始めました。わたしが父から聞いたのはこの二つのことだけです」。

陳亢は、帰ってから喜んで言った。「一つのことを聞いただけで、三つのことを知ることができた。詩を学ばなければならないことを聞き、礼を学ばなければならないことを聞き、その上に、君子が自分の子を特別扱いしないことを聞いた」。

ここで孔子は自分の子どもに対して、詩を学ぶことと、礼を学ぶことの二つが大事だと述べています。詩は具体的には『詩経』という経書のことですが、そこに集められた言葉を身につけ、それによって自分の言葉を身につけなければならないと言っているのです。

もうひとつの礼は、複数のテキストがありそうですが、状況に応じた立ち居振る舞いの仕方が書かれているもので、それを身につけることによって、言葉を磨くだけでなく、心身の習慣化をはかろうというのです。それは形式的な儀礼を身につけることではなく、人が「ひとり立ちする」ための条件を身につけるということです。

孔子も自分の子どもは可愛《かわい》くて仕方なかったかもしれませんが、その子が「本当の自分」に到着するための特別な道を示すことはできませんでした。できたのは、詩を学び、礼を学ぶという、「君子」になるための一般的なレッスンを示すことだけでした。ちなみに、「君子」とは他人の手本になるような人で、地位や財産とは関係なく、その人のよい人柄が問題になるあり方のことです。「本当の自分」が自分の人柄に関するものであるとすれば、「君子」という古い言葉にもその一端《いったん》が示されているかもしれません。

さて、現代の詩や礼は何にあたるのでしょうか。是非《ぜひ》それを友人や家族そして先生と話し合ってみてほしいと思います。「本当の自分」にみなさんがたどり着くようすがになればと思います。

参考文献

『論語』金谷治訳注、岩波文庫、１９９９年

『論語』は春秋時代の孔子の言行を弟子たちが記録したもの。南宋《なんそう》の朱熹《しゅき》(朱子)によって、儒教の重要な経典である四書《ししょ》に入れられました。日本でももっともよく読まれた儒教の書です。

回答2 あなたは誰ですか？——私自身を問い直す古代インドの言葉……加藤隆宏

フランスの画家ポール・ゴーギャンの有名な作品に「我々はどこから来たのか　我々は何者か　我々はどこへ行くのか」というものがあります。本当の自分を見つけようと思うならば、おそらくその前に「我々は何者か」、本当の自分とは何か、ということを考えなければならないでしょう。この問いは太古《たいこ》の昔から人間が持ち続けてきた、いわば古典的な問いです。

私たちは理由もわからずこの世に生まれ、自分が選んだわけでもない家族や共同体に所属し、例えば、家庭にあっては子供として、学校に行けば生徒として、少し時間が経ってからは、大人として、会社に入れば会社員として、たいていの場合、すでにそこにある慣習や社会の決まりに従いつつそれなりに毎日を暮らしています。これらいずれの場面でも、私は私であるには違いないのですが、どれも本当の私というものとは違う気がします。

古代インドの人々にとっても、自分自身が何者かということは興味をそそられるテーマだったようです。古い時代から伝わる『アタルヴァ・ヴェーダ』という聖典の中に次のような一節があります。

誰によって人の両かかとはもたらされたのか。誰によって肉は接合されたのか。誰によって両くるぶしは、誰によって良くできた指は、誰によって開口部は、誰によって両ウッチュランカは中央に〔もたらされたのか〕、誰が足元を〔そろえたのか〕。さてなぜ人の両くるぶしを下に、膝《ひざ》を上に作ったのか。両すねをわけて、どこに膝の接合を据えたのか。誰がそれを理解しようか。（中略）

好きなものと嫌いなもの、眠り、憂鬱《ゆううつ》と倦怠《けんたい》、喜びと快楽、それらを多様にも恐るべき人はどこから持ってきたのか。人間の苦悩《くのう》、貧乏、破滅、悪意はどこから〔来るの〕か。成就《じょうじゅ》と成功、無失策、思慮《しりょ》、向上はどこから〔来るの〕か。

（『アタルヴァ・ヴェーダ』第10巻第2讃歌《さんか》、針貝邦生訳。〔　〕内はサンスクリット語を和訳した際の訳者による補い。訳者によれば、「ウッチュランカ」は意味不明とのこと）

この一節では、我々人間はどのようにして作られたのか、そしてその作者は誰なのか、ということを問うています。遠い昔のインドの人々もやはり自分たちがどういう存在なのかということを真剣に考えたようです。しかも彼らが、私たちの身体の仕組みや心の状態などに注目して、これらについて詳《くわ》しく観察していた様子がうかがえます。ここには一部を引用するだけですが(興味のあるかたは是非《ぜひ》『アタルヴァ・ヴェーダ讃歌――古代インドの呪法』をお読みください)、なぜ、膝が上にあって、くるぶしが下にあるのか、なぜ、人には好き嫌いがあるのか。そのようなことを私たちが普段の生活の中で考えることはほとんどないでしょう。しかし、なぜと言われれば、たしかになぜなのか、理由はよくわかりません。

この讃歌が象徴的に示すように、インドの人々は自己の心身をよく観察することによって、本当の自分、真の自己に近づこうとしました。近年、日本でもヨーガが注目され、大変な人気となっています。ヨーガというと色々なポーズをとって身体をストレッチする運動というイメージがあるかもしれませんが、実はこのヨーガというものは、私たちの身体の機能や心のはたらきに注意を向け、呼吸法や瞑想《めいそう》法によってこれらを整えていこうとする実践《じっせん》で、インドでは古くから行われてきました。自分自身の身体と内面にしっかりと目を向け、そこで何が起こっているのかを感得《かんとく》することというのは、最近の言葉でいうと、メタ認知ということになるでしょうか。

インドで8世紀頃に活躍したシャンカラという思想家が伝える『ウパデーシャ・サーハスリー』という作品の中に、師と弟子とのやり取りが描かれています。

弟子が師のところにやってくると、師はまず「君は誰ですか」とたずねます。すると弟子は「私はこれこれしかじかの家系のバラモンの息子でございます。私は、もと学生――あるいは家住者――でございましたが、いまはパラマハンサ出家遊行者《ゆぎょうしゃ》でございます」と答えます。私たちも「あなたは誰ですか」とたずねられれば、○○町に住んでいる○○ですとか、○○の子供の○○ですとか、○○高校の○○ですとか、○○部の○○ですというように普通は答えるでしょう。

シャンカラ先生によれば、これらはすべて間違っているといいます。弟子たち(私たち)が普段もっている自分自身についての理解の誤りを正していき、シャンカラ先生が最後に解き明かした究極の真理は、本来の自己とは不変不滅の存在――これをインドの伝統ではアートマン（霊魂）と呼びます――である、というものでした。バラモンだとか、息子だとか、学生だとか、会社員だとか、そういったものは本来の自己ではなく、むしろ、そうしたものをすべて否定し去った後に残るような、変化せずにずっとそこにあるようなもの、そういうものが本当の自分であるといいます。

シャンカラ先生のいうような不変不滅のアートマンというようなものを私たちがそのまま受け入れることは難しいでしょうが（これ以上の内容に興味がある人は是非『ウパデーシャ・サーハスリー』を読んでみてください）、彼の考え方自体は私たちにも参考になりそうです。

「私はこれこれしかじかの○○です」という形で私たちが理解している自分は、何かしらのものやことがら、もしくは他者との関係性にもとづいて成立していますので、「これこれしかじか」の部分が変わると、それに応じて私自身も変わることになります。私自身、親に対しては子ですが、子に対しては親となります。このような私は相対的なものということになり、やはり本当の私とは言い難《がた》いでしょう。となると、本当の自分とは、何かとの関係において語られるようなものではないということになります。

本当の自分とは何かと漠然《ばくぜん》と考えるのではなく、古代インドの人たちのように今まで気にも留めていなかったことを問い直すこと、自分自身をよく観察して身体と心のはたらきにしっかりと目を向けることが、本当の自分を見つけるための第一歩となるのかもしれません。

参考文献

シャンカラ『ウパデーシャ・サーハスリー――真実の自己の探求』前田専学訳、岩波文庫、1988年
ヒンドゥー教において最も影響力のある思想家シャンカラ(8世紀頃)の作品であり、我々の本来の自己と宇宙の根本原理とが同一であるという梵我《ぼんが》一如《いちにょ》の真理を説いています。

『アタルヴァ・ヴェーダ讃歌――古代インドの呪法』辻直四郎訳、岩波文庫、1979年
インドのヴェーダ聖典の一つであるアタルヴァ・ヴェーダの讃歌や呪文を集めたもの。インドの古い習俗などが垣間見えます。祈願や呪文が効くのかどうか、試してみたくなります。

針貝邦生『ヴェーダからウパニシャッドへ』清水書院、2000年(新装版、2014年)
紀元前1500年頃から伝わるヴェーダ聖典を概観しながら、そこに見られるインド思想の萌芽《ほうが》について解説する概説書です。

回答3 「本当の自分」を探している「自分」——『臨済録《りんざいろく》』の言葉……土屋太祐

「本当の自分」という言葉は、実際のところ何を指しているのでしょうか? どうやったら「本当の自分」を見つけたことになるのでしょうか? そうやって考えていると、この質問が本当は何を問うているのか、よくわからないような気がしてきます。しかし、このような質問をしてしまう気持ちというのは、なんとなくわかります。とにかくいまの自分のあり方が「本当ではない」ような気がする、ということではないでしょうか? いまの自分は思い描いていたイメージと違うとか、なんだかいろいろなことが自分の思い通りにいかないとか。そのような気分はおそらく多くの人が経験したことがあると思います。そんな時にはやっぱり、「本当の自分って何なんだろう」と考えてしまいます。

私は、中国唐宋時代の禅宗を研究していますが、当時の禅の修行者も同じようなことを禅師に尋《たず》ねています。「如何《いか》なるか是《こ》れ学人《がくにん》の自己」というのがそれです。「私の自己とは何でしょうか」という意味ですが、やはりなんだか変な感じのする質問です。

この問いには、すこし特殊《とくしゅ》な思想上の背景があります。当時の禅僧は基本的に、生きているものはみな心の中に仏と変わらない本質、つまり「仏性《ぶっしょう》」を持つと信じていました。そして修行者はこの仏性を見て仏になること、つまり「見性成仏《けんしょうじょうぶつ》」を目指しました。ですから、ここで禅の修行者が問うている本当の自己とは、ひとまずは煩悩《ぼんのう》に染まる前の自己の本性ということになります。

しかし、「本当の自分」と「本当ではない自分」というのは、別の物なのでしょうか？　いまの自分が「本当ではない」とすると、いまの自分とは別の「本当の自分」がどこかにあるというのでしょうか？　それもどうも変な話です。自分が二人いることになってしまいそうです。そして、そんな「本当ではない自分」が「本当の自分」を見つけたとすると、見つけた側の「自分」は、まだ「本当ではない自分」のままなのでしょうか？　それとも「本当の自分」に変わってしまうのでしょうか？　でもそれだと、いまの自分とは無関係なただの別人になってしまわないでしょうか？　それって本当に「自分」なんでしょうか？

教理的な議論は少し複雑なので省《はぶ》きますが、禅僧たちも「いまの心とは別の状態として本性がある」という考え方から、しだいに「いまここにある、ありのままの自分の心がすなわち仏性だ」という考え方に移っていきました。この考え方でよいのなら、万事解決のはずです。つまりは、「ありのままの自分が本当の自分だ」ということになります。しかし、修行者はそれでもこう言うかもしれません。「それが信じられるくらいなら、わざわざこんな質問はしません」と。先に見たような禅僧の問いも、理屈は十分に理解したうえで、それでも確信が持てずに提出されたものかもしれません。「ありのままの自分が本当の自分だとして、それで、ありのままの自分って何ですか？」という気分ではないでしょうか。

そのような問題に対する考えかたとして、有名なものの一つは唐代の禅師である臨済義玄《りんざいぎげん》のものでしょう。臨済の語録である『臨済録』の言葉を見てみましょう。

このごろの修行者たちが駄目《だめ》なのは、（中略）病因《びょういん》は自《みずか》らを信じ切れぬ点にあるのだ。もし自らを信じ切れぬと、あたふたとあらゆる現象についてまわり、すべての外的条件に翻弄《ほんろう》されて自由になれない。もし君たちが外に向かって求めまわる心を断ち切ることができたなら、そのまま祖仏と同じである。君たち、その祖仏に会いたいと思うか。今わしの面前でこの説法を聴いている君こそがそれだ。君たちはこれを信じきれないために、外に向かって求める。

（入矢義高訳）

臨済の言葉を要約すれば、自分の心が仏だと信じられないから、自分の外側になにか別の仏を探し回る、ということになります。現代風に言うと、いまの自分を信じきれないから、「本当の自分」なんてものを探し回ることになるのだ、という感じでしょうか。そこで、外側に理想の自分を求めることをやめたとき、それを求めてきょろきょろしていた側の自分以外に自分なんていないと気づく、というのです。

また、ここには「自由」という言葉も出てきています。これは原文でもそのままおなじ語が使われています。現代日本において「自由」という言葉は、freedomやlibertyの翻訳語として使われることが多いですが(この翻訳語が定着するまでの紆余曲折《うよきょくせつ》について興味があるかたは、柳父章《やなぶあきら》『翻訳語成立事情』(岩波新書)を読んでみてください)、それ以前から漢語として存在し、特に禅籍の中でよく使われました。しかし当然ながら、「自由」に対する臨済の捉《とら》え方は、現代日本語のものとはすこしちがっています。臨済によれば、当時の修行者は自己が仏であることを信じきれないために、自分の外側に価値あるものを求め、そのような外在的な価値に振り回されて「自由」を失っていました。これを現代的に解釈すれば、我々が「自由」であるためには、自分の外部に「本当の自分」を探すことをやめ、探している側の自分こそが「真の自己」であることに気づかなければいけない、ということになるでしょう。それこそが「自由」であるための主体だといえそうです。

改めてまとめると次のようになります。つまり、今の自分が「本当ではない」ような気がするから、別のどこかにある「本当の自分」を探し求める。しかし、「本当の自分」という思いの束縛から解放されれば、いま思い悩んでいる「自分」以外に「自分」なんていないと気づく、と。もちろん、これが唯一の正解だとは思いません。これで悩みがなくなればそれに越したことはありませんが、現代人である我々が、いきなり過去の中国の禅僧と同じ信念を持つことも難しいでしょう。ただここには、問題を考えるための重要な手がかりがあるように思います。過去の哲人の言葉は我々に、問いの前提にさかのぼって問題を考える余裕を与えてくれます。問題は「本当の自分とは何か」ということだけでなく、「そこで本当に問われていることは何か」とか、「なぜそんなことを考えてしまうのか」というところにもあるはずです。そのような視点を得られると、少し安心しながら悩めるかもしれません。

参考文献

『臨済録』入矢義高訳注、岩波文庫、1989年

唐代の禅僧臨済義玄の言葉を記録したもの。口語研究の成果を反映した読みやすい翻訳です。

図5　臨済像（伝曽我蛇足筆、京都国立博物館・東京国立博物館・日本経済新聞社編『禅――心をかたちに』日本経済新聞社、2016年より）

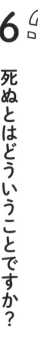

6 死ぬとはどういうことですか？

回答1 「私の死」に向きあうこと——ヤスパースからの勇気のメッセージ……木村勝彦

死ぬとはどういうことなのか、という問いはすべての人にとって最も重大で、悩ましいものでしょう。私たちは必ず死ななければならず、その死は徹底して個別的なものです。自己認識を本質とする存在である人間は、いつか自分自身が死ぬことを自覚しているからです。死とはまずもって、ほかならぬ自分自身の死であり、まさにいま自己認識している自分の存在が無となることです。私にとって、この私の死はほかのなにものの死とも決定的に異なり、居ても立ってもおられないほどの恐怖で私をおののかせます。

死を主題として論じた古典として、ここでは哲学者カール・ヤスパースの主著『哲学』を紹介します。これは1932年に出版されたもので、本書で紹介されるほかの古典と比べると最も新しい部類に属するでしょう。とはいえ、戦争と難民の世紀と呼ばれ、数々の大量殺《さつ》戮《りく》が実に無造作に行われた20世紀の前半に世に出たこの著作は、個々の人間における徹底して個別的・主体的な死の問題に肉薄《にくはく》しようとする迫力に満ちています。

この著作でヤスパースは死を、立ちふさがる壁のように私たちを挫《ざ》折《せつ》させる「限界状況」として捉《とら》えますが、それをさらに「最も身近な人の死」と「私の死」の二つにおいて理解します。このうち「最も身近な人の死」、つまり「私が交わりを結んでいる最も愛する人の死」は、「人生の現象の中で、最も深く切りこんでくる傷口」であるとして、ヤスパースは次のように述べます。いつか必ず訪れ、決して避けられない最愛の肉親や友人・恋人との死別を想像するとき、みなさんもここで語られる孤独の深さに共感できることでしょう。

最後の瞬間に臨終《りんじゅう》の人をたったひとりの境涯《きょうがい》に見放したまま、その人のあとを追うことができなかったとき、私もたったひとりで残されてしまったのである。どのようにしようとも、もはやすべてはもとに戻すことができない。永久に終焉《しゅうえん》となったのである。臨終の人には、もはや語り掛けても無駄である。すべての人はみな、たったひとりで死ぬのである。死をまえにしたときの孤独は、臨終の人にとっても、また残された者にとっても、つけ入《い》る隙《すき》のないもののように思われる。

（小倉志祥・林田新二・渡辺二郎訳、以下同じ）

しかしなんと言っても、私たちにとって最も切実な問題は「私の死」にほかなりません。「私の死は私のもの」としてあり、「唯一《ゆいいつ》の、全く客観的ではない、普遍《ふへん》的な形では知られることのない死」なのだと、ヤスパースは「私の死」の意味を端的《たんてき》に述べています。

古来、死はさまざまに語られ、人間は「死に向かう存在」として理解されてきましたが、そうした死の哲学的理解もどれほど深遠なものであろうと、「私の死」の前ではあせた意味しかもち得ません。私はたったひとりで、「私の死」という唯一の死に直面しなければならないのです。そして、死が恐怖であることの決定的な理由は、実は私たちが死そのものを経験できない点にあるのだとして、ヤスパースは次のように述べます。

私の死は、私にとっては、経験できないものである。私が経験できるものは、ただ私の死に関係したことがらだけである。肉体上の苦痛とか、死の不安とか、一見不可避な死の状況とかならば、私は体験できるし、またそうした危難を耐え抜くこともできる。けれども死そのものをどのようにしても経験できないことだけは、牢固《ろうこ》として抜きがたい。死んでゆくとき、私は死にさらされはするが、しかし私は死そのものを経験することは決してない。

私たちにとって真の恐怖は、死に向かっていく過程（それも不安で恐ろしいですが）ではなく、決して経験することのできない（経験できるとは、生きているということですから）私の非存在なのです。ヤスパースが「死による非存在という事態に思いいたったときの、ぞっとするような気持」と表現した恐怖は、みなさんにも必ずや覚えがあることでしょう。

とは言え、「私の死」を前にして私たちはただ恐れおののき、絶望するしかないのでしょうか。決してそうではありません。「自分が死ぬであろうことを知っている」からこそ、「私の死」は「人生を導きかつ吟味《ぎんみ》しなければならないという要求」を私に突きつけるのだと、ヤスパースは述べます。生があるから死があり、死があるから生があるということ、自分の生が闇と闇とのあいだの光のように、誕生と死で区切られた有限な時間でしかないからこそ意味をもつのだということを、実は私たちは納得しています。私たちは死を恐れながらも、「永遠に生きたい」とは思わないのではないでしょうか。漫画家の手塚治虫《てづかおさむ》は名作『火の鳥』のなかで、ただ一人だけ死ぬことができなくなった少年の深い孤独を描いていますが、永遠に生きなければならないという恐怖は死の恐怖以上のものかもしれません。

重要なのは、「死に直面すれば崩れ去るようなことがら」に思い悩むことなく、「死に直面しても本質的であり続けるようなことがら」を追求することです。そのために求められるのは「死に対する態度」としての勇気なのだと、ヤスパースは訴えます。徹底して個別的な自分の死に対する恐怖を克服することは難しいことですが、勇気をもってそれに立ち向かうとき、「死は私とともに変貌《へんぼう》する」のです。

そして、こうした死との闘いにおいて私たちを支えてくれるのは、「私の死」に孤独を覚える人間同士の「孤独の交わり」にほかなりません。ヤスパースの思想は、死という不可避の終点を将来に見すえて生きていかなければならない私たちにとって、一つの指針《ししん》を与えてくれるように思われます。

参考文献

カール・ヤスパース『哲学』小倉志祥・林田新二・渡辺二郎訳、中公クラシックス、2011年

この本は全3巻から成る『哲学』の第2巻目に当たる「実存開明」の訳書ですが、一部は抄訳《しょうやく》となっています。なお、本文中の引用はすべてこの訳書によっています。

カール・ヤスパース『哲学入門』草薙正夫訳、新潮文庫、1954年

決して平易な内容ではありませんが、まずはこの書物でヤスパースの思想に触れることを勧めます。

手塚治虫『火の鳥2　未来編』朝日新聞出版、2009年

すべての生物が絶滅した後の地球に、再び生命が誕生し人類へと進化していく過程を、死ぬことができなくなった少年の目を通して描くこの作品は、『火の鳥』全巻のなかでも屈指《くっし》の壮大なスケールと深い洞察《どうさつ》に満ちた名作と言ってよいでしょう。

回答2　生と死のさかいめ——禅僧の言葉から……………………土屋太祐

死は誰にとっても避けられない、恐ろしいものです。当然、仏教という宗教にとっても、死は最も重要な問題のひとつでした。

仏教の基本教理である四諦《したい》（四つの真理）の説では、まず一つ目の真理として我々の生存において苦しみが不可避であることが説かれます。ここでいう苦しみとは、苦しいこともあれば楽しいこともあるというレベルの相対的な苦しみではありません。我々の存在が根本的に不安定で、永続的な実体を持たないために起こる、原理的に避けられない変化としての苦しみです。その例として挙げられるのが生老病死という四つの苦しみです。我々は自分でどう願おうとも、自分が変化していくことを止められません。四諦の説では続いて、この苦しみが起こってくる原因があること、しかし苦しみの生起は止められること、そして最後に苦しみを止めるための実践《じっせん》方法が説かれます。

苦しみが起こってくる根本的な原因は我々の欲望や愚《おろ》かさにある、と仏教では考えられました。我々は自らの欲望に突き動かされ、我々の存在を作り上げていきます。このようにして作り上げられた存在はかりそめのものであり、存在はするが、永続的な実体を持たないという二面性を持ちます。そのため我々は不安定で、変化を避けられません。

また仏教は、人は生まれ変わり死に変わりしながら輪廻《りんね》していると考えました。ですので、この苦しみが起こる過程は輪廻として考えることができます。人は欲のために業《ごう》を作り、業は次の生を引き起こし、一度生まれたものは不可避《ふかひ》的に死ぬことになります。そこで仏教は、欲や愚かさをなくし、輪廻のプロセスから解脱《げだつ》し涅槃《ねはん》に入ることを究極の目標としました。生と死の循環《じゅんかん》そのものから抜け出そうとしたのです(以上の点について詳しく知りたいかたは、馬場紀寿『初期仏教——ブッダの思想をたどる』(岩波新書)の第五章、第六章を読んでみてください)。

私は中国で発展した禅宗の研究をしていますが、禅宗ももちろん仏教の一派ですので、生死の問題を重視します。12世紀、北宋時代から南宋時代にかけて活躍《かつやく》し、それ以降の東アジア仏教に大きな影響を与えた大慧《だいえ》宗杲《そうこう》はしばしば、「生死の二字をつねに額にはりつけて、片時も忘れず修行しなければならない」と言います。そのほかにも多くの修行者が、死んだ後にはどこに行くのかとか、どうすれば死の苦しみを免《まぬが》れるのか、といった問いを禅師に投げかけています。

それならば、彼らは生死の問題を最終的にどう考えたのか、どこかにいい説明がないだろうかと探してみました。ところが、あまりまとまった説明を見つけることができません。右のような修行者の問いに対しても、ごく簡潔《かんけつ》で象徴的で、まるで謎かけのような、いかにも禅問答《ぜんもんどう》という回答がなされることが多いです。もちろん、禅僧はそもそも言葉によって真理を説明することはできないと考えていたので、理屈っぽい記述が少ないのは当然かもしれません。

ならば、むしろ彼らの死にざまそのものが何かを物語っていないだろうかと考え、禅僧の伝記と言行をあつめた書物(一般に灯史《とうし》と呼ばれます)のひとつを見てみました。ところが、亡くなる際の様子を記したもの自体がそれほど多くなく、記したものがあっても、伝説的な要素を過度に強調したようなものか、あるいは逆に非常に簡単な記述だけのものが多いのです。

禅僧は生死の問題を重視し、多くの問いかけがなされながら、それに対する説明は非常に少ない、ということになります。さて、これは矛盾《むじゅん》でしょうか？　ひょっとすると、むしろこのことが禅僧たちの生死に対する態度を示しているとは考えられないでしょうか？　この生は何らかの原因によって作られ、そのために死もまた作られました。そうであれば、生は見せかけのものですが、死も同じく見せかけだということになります。生も死も幻《まぼろし》のようなものであれば、そこに本質的な違いはありません。ことさらに克服すべき生死などないことになります。そう考えると、禅僧たちの断片的で象徴的な言葉もわかるような気がしてきます。

次は唐末の禅僧玄沙師備《げんしゃしび》と、その師である雪峰義存《せっぽうぎそん》の対話です。

雪峰が言う、「神楚という僧がこう尋ねるのだ、「亡くなった僧はどこに行くのでしょうか」と。それで私は彼に「それは氷が水に戻るようなものだ」と答えたよ。」玄沙は言う、「それは、正しいことは正しいですが、私ならそうは言いません。」雪峰、「そなたならどうする？」玄沙、「水が水に戻るようなものだ。」

（『玄沙広録』巻中。入矢義高「生と死——水と氷の喩えをめぐって」、『増補　求道と悦楽——中国の禅と詩』（岩波現代文庫）参照）

ここで雪峰は、生は氷、死はそれが水に戻るようなものだといいます。これ自体が生と死をただの状態の変化、本質的に異ならないものと捉《とら》える視点です。しかし弟子の玄沙はさらに進んで、そもそも生も死も水に外《ほか》ならないといいます。そこには何の変化もありません。生も無ければ死も無いというのでしょう。

またこのほかに、唐代の禅僧である薬山《やくさん》とその弟子雲巌《うんがん》の間には次のような対話があります。

薬山が雲巌に問うた、「この目の前の生死とはどのようなものかな？」雲巌が答える、「私の目の前に生死はありません。」薬山、「そなたは二十年も百丈禅師のもとで修業しながら、俗気も抜けていないない な。」雲巌、「それがしはこのような見解ですが、和尚《おしょう》様はいかがでしょう？」薬山、「よれよれのくたくた、見苦しい姿でなんとか過ごしてお

る。」　(『祖堂集』巻四・薬山章。小川隆『語録の思想史——中国禅の研究』(岩波書店)参照)

ここでは雲巌がもはや生死は見えなくなったといいます。これは生死の克服といっていいものでしょう。しかし師の薬山はこれを「俗気の抜けない所業《しょぎょう》」と完全に否定します。ならば薬山は生死をどう解決するのか。薬山はただただ老いぼれたクタクタの体で生きているだけだと答えます。そこにはもはや克服すべき生死さえないようです。

このように考えると、臨終の様子がごく簡単にしか書かれていない禅僧の伝記にも、少し違った印象を覚えます。ひょっとすると、特筆すべき死にざまが無いことこそが、その僧の生死に対する回答だったのかもしれません。それで、これが我々の生き死にの参考になるかというと、少しレベルが高すぎるような気もしますが。

参考文献

『玄沙広録』上・中・下、入矢義高監修、唐代語録研究班編、禅文化研究所、1987—1999年

『玄沙広録』の全訳、詳しい注釈を含んでおり、参考になります。

『祖堂集』柳田聖山訳、世界の名著　続3・禅語録、中央公論社、1974年

『祖堂集』の抄訳《しょうやく》。柳田は他にもいくつか『祖堂集』の翻訳を発表していますが、この本には右に引用した部分が含まれます。

小川隆『語録のことば――唐代の禅』禅文化研究所、2007年

右に紹介した二つは比較的古い著作ですが、こちらはその後の研究成果を反映しています。原典そのままではなく、著者の理解によって禅門の逸話《いつわ》を配列し解説したものですが、禅の語録に興味を持ったらぜひ手に取ってもらいたいと思います。

回答3　銀河を旅する死者たち――宮沢賢治の世界から……………………佐藤弘夫

いまこの本を読んでいるみなさんと同じく、私も死を経験したことはありません。ですから、この質問に正確に答えることはできません。しかし、親しい人々と別れて、ただ一人見知らぬ世界に足を踏み入れる恐怖は、だれでも容易に想像できます。そのため、人類は宿命としての死といかに折り合いをつけるかを、最重要の課題と捉《とら》えてきました。

それでは、過去の人々はどのようにして忍び寄る死と和解を試みてきたのでしょうか。仏教の経典の一つである『雑譬《ぞうひ》喩経《ゆきょう》』のエピソードです。

一人の年老いた母がいました。この母には一人の子がいましたが、病気で先に亡くなってしまいました。老齢で置き去りにされた母は絶望し、子の墓の前で嘆き悲しみ、一切の飲食をやめて一緒に死のうとしました。

そこに通りかかったのが釈迦《しゃか》です。仏は母に向かって、あなたは子息が生き返ることを望みますかと尋《たず》ねました。もちろんですと答えた母に、釈迦は、それでは香《こう》を焚《た》いて死者を蘇《よみがえ》らせることにしましょう、と告げました。その上で、喜ぶ母に向かって、ただし香の火はこれまで死人を出したことのない家からもらわなければなりません、と語りました。

釈迦のこの言葉を頼りに、母は家々を訪ねては香を焚くための火を求めましたが、当然のことながら死者を出したことのない家などあるはずがありません。虚《むな》しく数十件の家を巡《めぐ》って帰った母に対し、釈迦は「いまだかつて不死の人間など存在しない、なぜその道理がわからないまま息子とともに死のうとするのか」と説き聞かせました。母はこの言葉によって無常のことわりを理解し、まだ自分にはなすべきことがあって生かされているのだと気づくのです。

仏教はあらゆる存在が移ろいゆくものであること(諸行無常《しょぎょうむじょう》)を説きます。しかし、それは閑居《かんきょ》して感傷に耽《ふけ》ることを勧めるものでもなく、人を絶望の淵《ふち》へと突き落とすものでもありません。限られたこの人生で、与えられた時間を無駄にすることなく、自分にしかできない価値ある生を作り上げていくことの大切さを教えるものでした。いつピリオドを打たれるかもわからない無常の人生だからこそ、一瞬一瞬をどう輝かせていくかが重要なのです。

常なき世をいかに生きるべきか。ここでは一つのヒントとして、宮沢賢治の『銀河鉄道の夜』をご紹介したいと思います。この作品は、星祭りの夜にジョバンニという少年が、親友のカムパネルラとともに銀河を周遊する列車に乗った話です。列車には老若男女、さまざまな人が乗り合わせましたが、それらの人々は実はみな死者だったのです。その列車のなかで、ジョバンニは一人の少女から、暗い夜空を赤く染めて燃えているさそり座の由来を聞きました。

――むかしバルドラの野に一匹のサソリが住んでいましたが、いたちから逃げようとして井戸に落ちて、溺《おぼ》れ死にそうになりました。そのときサソリは思ったのです。いままで自分はたくさんの命を食べてきた。こんな無駄な死に方をしないでわたしの体をくれてやれば、いたちも一日ぐらいは生き延びることができただろうに、と。そして神様に、せめて自分の体を人の幸せのために使ってくださいと祈りました。サソリはいつしかわが身が真っ赤な美しい火になって、夜の闇を照らしていることに気づくのです。

この話に心打たれたジョバンニはカムパネルラに、「どこまでもどこまでも一緒に行こう。僕はもうあのさそりのようにほんとうにみんなの幸《さいわい》のためならば僕のからだなんか百ぺん灼《や》いてもかまわない」と話します。その上で、「けれどもほんとうのさいわいは一体何だろう」とつぶやくのです。

この列車に乗っているのは、誰かの身代わりになって死んだり、人の幸せを願って命を落としたりした人たちでした。カムパネルラもまた、友を助けるために川で溺れて亡くなっていたことを、ジョバンニは現実世界に戻った後に知ることになります。

私たちはわが身を燃やすサソリの気高《けだか》い精神に心打たれますが、そこまでの自己犠牲を普通の人間に要求することは不可能です。私たちは、さしあたってなにをすればいいのでしょうか。これまで紹介した釈迦やサソリのエピソードから考えられるのは、ほかの人のために何ができるかを常に自身に問い続けることです。他者の立場に立って物事を捉えることができるか、という問題意識を持つことです。

いま、個人のレベルでも、国家のレベルでも、自己の主張を一方的にまくしたてて、相手を威圧《いあつ》しようとする風潮《ふうちょう》が高まっているように感じられます。他者の声を聴く力が、社会から急速に失われつつあるのです。宮沢賢治の作品では、人と動物が対等の立場で会話を交わしています。私たちはその世界に入り込み、彼がなぜそうした風景を描こうとしたかを考えてみる必要があります。動物の言葉がわかる人間が、隣人の声を聴き取れないはずはありません。

日本は世界有数の長寿国です。それはとても素晴らしいことですが、人生の目的はただ長生きすることではありません。宮沢賢治は37歳の若さで亡くなりました。生前は作家としてはほとんど無名のままでした。その賢治の作品がいま世界中の人々に愛され、感動を与え続けているのです。

限られた人生だからこそ、いまできる努力をする。それを積み上げていって気づいたとき、夜空を飾る星になっている。これは単なる譬《たと》え話ではありません。私は10年前に可愛《かわい》がっていた犬を亡くしました。もはやこの地上には存在しません。けれども10光年離れた場所に立ってみたらどうでしょうか。犬は元気で走り回っています。すべての先人たちは、宇宙の風に吹かれて、果てしない大空をいつまでもたゆたい続けているのです。

経験したことのない死をくよくよ考えるより、悔いのない人生を送るために、今日一日を、いま目の前にいる人を大切にしていく。充実した生をまっとうした先に、銀河鉄道に乗って宇宙を旅する自分を想像する。そのほうがずっと素敵だとは思いませんか。

参考文献

「雑譬喩経」『大正新脩大蔵経《たいしょうしんしゅうだいぞうきょう》』第4巻所収、大蔵出版、1924年

仏教の経典を集成した『大正新脩大蔵経』に収められていますが、原文は難解な漢文です。浜田広介の童話「明るいろうそく」は、ここで紹介した老女のエピソードを下敷きにしたものといわれています。

宮沢賢治『新編　銀河鉄道の夜』新潮文庫、1989年

『銀河鉄道の夜』は宮沢賢治の童話の代表作です。マンガ・映画・音楽などさまざまな媒体《ばいたい》で繰り返し翻案《ほんあん》され、たくさんの作品が生み出されてきました。

図6　宮沢賢治（国立国会図書館「近代日本人の肖像」より）

7 社会の役に立ちたいのですが、どうすればよいでしょうか？

回答1 他者への共感をもつ——大乗仏教の理想……吉水千鶴子

「社会の役に立つ」というと有能でなくてはならない、というような印象があります。介護ロボットを作るとか、ＳＤＧｓに貢献《こうけん》するとか。あるいはボランティア活動をすることも思い浮かびます。それはすなわち「人の役に立つ」ということですね。とくに社会的に弱い立場の人や困っている人を助けたい、あなたはそういう思いを強くもっているのではないでしょうか。

その手段はいくつもあります。まず職業を通して。どんな職業も社会の中で必要とされるものですから、人の役に立ちます。音楽や演劇も人々を楽しませ、元気づけるという意味で役に立ちます。もし漠然とでも、こんな職業につきたい、と思うものがあれば、そのために必要な知識を身につけ、準備して下さい。職業をもつ、ということはその道のプロフェッショナルになる、ということですから、知識と訓練が必要です。その道で少しでも「有能になる」ことができれば、きっと社会に貢献できます。

もう一つの方法、手っ取り早く、今、誰かの役に立ちたい、というのであれば、ボランティア活動がいいでしょう。難しくなくてもいい、自分にできることをやればいいのです。それも苦手だという人は、家族でも級友でもいい、知らない人でもいい、人に親切にしてあげて下さい。一人でも多くの人がお互いに親切になれば、とてもいい世の中になるはずです。

注意しなければならないのは、「社会の役に立てない人」は情けないやつだ、という考えはおかしいということです。これは時として「働けない人」「お金を稼げない人」「人の世話になっている人」を「ダメな人間」として括《くく》り差別するからです。たとえ寝たきりの人であっても、優しい言葉や微笑みで人を幸せにすることはできるのです。「社会の役に立つ」ということを固く狭《せま》く考えない方がいいと思います。

人を助けたりボランティアをしたり、という行為でしばしば問われるのが、「それはひょっとして人のためではなく自分のためにやっているんじゃないの？」ということですね。「自己満足」という意味です。たしかに人の役に立つ行為をすれば、自分も嬉しいです。「善《よ》いことをした」という満足感があります。ボランティア・ツアーといって、わざわざお金を払って海外に行って貧しい人たちや病気の人たちの手伝いをするツアーもあります。参加者に対しては「自分が特別な体験をしたいから行くのだ」という批判もありますが、その行為自体は責められるようなものではありませんし、人の役に立ち、自分もハッピーならばそれでいいとは思います。

でも理想は、自分のことは忘れて人を助けるべきだ、と私たちは心の中で思っているから、こんな問いを発してしまうのかもしれません。人はほんとうにそういう行為ができるのでしょうか？

紀元前にインドで生まれた仏教は、紀元後、大乗《だいじょう》仏教の時代にこの疑問を突きつめ、菩薩《ぼさつ》の理想像を作り上げました。「菩薩」というのは元々ブッダの前世（悟りを開く前）の修行時代を指す言葉でしたが、やがて慈悲《じひ》をもって修行を続ける人のイメージとなりました。お寺に行くと「観音菩薩《かんのんぼさつ》」「地蔵菩薩《じぞうぼさつ》」「文殊菩薩《もんじゅぼさつ》」など様々な空想上の菩薩の像があるのを見たことがあるでしょう。彼らは人々を救うという慈悲の心で修行する仏教徒の理想像なのです。彼らには「人に何かをしてあげる」という意識はありません。困っている人、苦しんでいる人、悩んでいる人にはすぐに手を差し伸べます。見返りは求めません。時には自分の身体や生命さえも与えてしまいます。相手が動物であっても、です。みなさんは、奈良の法隆寺《ほうりゅうじ》にある「玉虫の厨子《たまむしのずし》」に描かれた「捨身飼虎図《しゃしんしこず》」をご覧になったことがあるのではないでしょうか。これはブッダの前世のお話なのですが、飢《う》えた虎に我が身を施《ほどこ》した菩薩の物語です。ここまでいくとかなり極端ですが、人と自分の関係で見ますと、大乗仏教の菩薩の行いの中で「自分の幸せと他者の不幸を交換する」ことが勧められています。

8世紀にインドで活躍したシャーンティデーヴァという学僧が、次のように書いています。

自分自身と他の人々を速やかに救いたいと願う者は、他者と自分を交換するという最高の秘密を実践《じっせん》すべきである。

自分の苦しみを鎮《しず》めるため、他者の苦しみを鎮めるために、私は自己を他の人々に与えよう。他の人々を自分のように受けとめよう。（『入菩薩行論《にゅうぼさつぎょうろん》』第8章120、136詩節）

「交換」とは、自分の幸せを他者に与え、他者の苦しみを我が身に受けとめることです。単に「分かち合う」ことではなく、幸せは全部あげてしまい、苦しみは全部引き受ける、ということです。ここでも、この修行は自分が悟りを得るためではないか、という疑問が起きるかもしれません。しかし、仏教の修行者は何よりもまず「自分」への執着を捨てることが求められます。ですので、見返りを求めて他者を助けようとしても自分のメリットにはなりません。

日本より百年ほど遅れてですが、やはり大乗仏教が伝わったチベットでは、この言葉に感動した人たちが思いを引き継ぎ、「心の訓練」に取り入れました。たとえ今できなくても、繰り返しこの思いを噛《か》み締《し》めることで、自分の心を磨《みが》き、ほんとうに他者の役に立てる人間になるためです。

実際に自分の恵まれた境遇《きょうぐう》と他者の恵まれない境遇を交換するなんて私たちにはできませ

ん。でも「思い」を持つことはできます。大切なのは、他の人たちの立場や苦しみ、悲しみを想像し、共感できる力ではないかと思います。人気コミック『鬼滅の刃』(吾峠呼世晴、集英社)の主人公竈門《かまど》炭治郎《たんじろう》は鬼殺隊の一員で、人の命を奪ってもなんとも思わない鬼を許すことはできません。しかし、倒した鬼の苦しみや悲しみを匂いとして感じ取り、共感できる力を持っています。菩薩の慈悲に通じるものがあるように思います。それがあれば、必ず社会の役に立つために自分に何ができるか、気づくことができるでしょう。

では、想像力、共感力を養うにはどうしたらいいでしょうか。私たち一人一人は狭い世界に生きていて、なかなか自分と縁遠い社会や人の境遇を理解することができません。そんな限られた経験を補ってくれるのは読書だと思います。外国のことも歴史のことも、いろいろな人の人生についても、追体験できます。そのようにして、想像力と共感力を養っていただきたいと思います。

参考文献

中村元「奉仕の精神――『菩提行経』」『現代語訳・大乗仏典7　論書・他』東京書籍、2004年

タイトル名が少し違いますが、ここで紹介したシャーンティデーヴァ『入菩薩行論』のスタンダードな全訳です。

ゲシェー・ソナム・ギャルツェン・ゴンタ『精読　シャーンティデーヴァ　入菩薩行論――チベット仏教・菩薩行を生きる』チベット仏教普及協会、2009年

シャーンティデーヴァ『入菩薩行論』のチベット仏教僧による翻訳とやさしい解説です。

回答2　社会は自己とつながる？　つながらない？　つながりすぎても危険だ

――『大学』に「学ぶ」……………小倉紀蔵

「社会の役に立ちたい」という若者がもし私の目の前にだしぬけに現れたら、「すこしこわいな」と思うでしょうね。「そんなに逸《はや》らないほうがいいんじゃないかな。落ち着いて！」といってしまうかもしれません。

いまの時代に私たちは、「社会」ということばを安易に使いすぎなのではないか、と思います。社会とはなんですか？　それはどこにあるのですか？　どこからどこまでが社会ですか？　社会と仲間、世の中、世間、共同体、世界などは、どう違うのですか？　そもそも社会って、私たちの日常にとってそんなに身近でわかりやすいものなのでしょうか？「社会の役に立つ」ということが、いったいどういうことを意味しているのか、そんなに簡単にわかりますか？

そもそも社会というのは明治の時期に西洋のことば（英語でいえばsociety）を日本語に訳したものであって、もともと日本にあった概念ではありません。この概念をどんな日本語にすればよいのか、最初は大いに混乱しました。いろいろな訳語がつくられましたが、やがて「社会」が定着しました。

なんとなくわかりやすいことばですが、よく考えてみると、理解が大変むずかしい概念です。

ドイツ語には「Gemeinschaft（ゲマインシャフト）」と「Gesellschaft（ゲゼルシャフト）」ということばがあって、前者は共同体的な集団を指し、後者は特定の目的のために人為的につくられた集団を指します。後者をふつう「社会」と考えますが、実はこの両方が社会であって、人間の集団的生活のためには両方が必要なのです。後者だけが社会だという考えは間違っています。近代化をしなければならなかった時期には、前者と後者をはっきりと区別しなくてはならない、という議論がされましたが、そうではない考えもあるのです。あとで説明しますが、たとえば儒教は区別しません。

「社会」ということばは抽象的なので、具体的な「よりどころ」がなくなってしまいやすい。なにか、家庭とか近所とかサークルとか会社とか地域とかゲームの仲間などの「つながり」などといったものとは全然別に、「社会」という抽象的なものがどこか抽象的なところにある、ということになってしまいがちです。もちろん社会はもともとそのような抽象的な概念と相性がよいものなのですが(むしろ近代の入り口では、抽象的な人間関係を人為的に構築することが大切だったのですから)、それでも、なんらかの具体性があるものをよりどころにしないかぎり、なかなかリアリティを感じられないのも事実です。

中国の儒教の古典である『礼記《らいき》』という書物に収められている『大学《だいがく》』というテクストでは、「格物《かくぶつ》→致知《ちち》→誠意《せいい》→正心《せいしん》→修身《しゅうしん》—斉家《せいか》—治国《ちこく》—平天下《へいてんか》」と広がっていく同心円で、自己から世界までの連続性を説明しています。いま、ひとつひとつについてくわしい説明をする紙数がありませんが、要するに探究心をもって知識や認識を身につけて、意を誠にし、心を正し、身を修めて(ここまでが自己に関すること)、そのあとに家や国家や天下を正しくするために役に立て、ということです。

もちろんこれは政治的なイデオロギーです。ここで知識や認識というものはあくまでも儒教的道徳価値にのっとったものであって、それ以外ではありません。つまり、まず儒教の教えで洗脳しておいて、その次にその実践《じっせん》をさせるというのが『大学』の戦略です。

もちろん、だからといって『大学』のやり方が悪いとはいいきれません。世の中を儒教の考えでつくっていくのがベストだと考えられるなら、これほど効率のよいやり方はありません。実際、中国や朝鮮やベトナムを含む儒教文明圏は、20世紀にいたるまで非常に長いあいだ、平和で秩序のある「社会」を持続的につくりつづけてきました。近代的価値観から見て伝統的な儒教社会が間違っているからといって、中国や朝鮮などが一千年以上の長きにわたって営々《えいえい》とつくりあげてきた儒教的伝統を、一方的に糾弾《きゅうだん》したり貶《おとし》めたりすることはできないはずです。

そして重要なのは、『大学』のように、自己の内面から外の世界、つまり家やサークルや地域や「社会」や世界に、なめらかな連続性をもってひとつの世界観で拡大していく、というやり方は、よい面を持っているということです。現代は逆に、自己の内面と家族、学校、会社、サークル、地域などがなめらかに連続していかず、ずたずたに切られてしまっている。自己の内面すら、千切れてしまっている。

そういう現代の状況からすれば、自己の内面から世界にまでなめらかに連続して同心円を拡大していけるし、他者との衝突《しょうとつ》や摩擦《まさつ》を回避するための手法が細かく用意されている『大学』や儒教の方法論には、うらやましい側面もあるわけです。

だがこれは、やはり危険なやり方でもあります。自己から家、社会、国家への連続性が、同質的でなめらかすぎるのです。批判が加えられないまま同心円的に拡大していってしまうのは、危険なのです。

つまり自己と社会は、分断されすぎてもよくないし、同質的すぎても危ない。

「社会のために役立つ」というとき、こういう危険な構造がどこにでもあるのではないでしょうか。つまり、「社会とはこういうものだ」という認識をあらかじめだれかから注入され、そしてそのために実践する、という構造です。その認識をじゅうぶんに批判的に検討するという作業抜きに、逸って実践に向かうということはないでしょうか。

たとえばＳＤＧｓはどうでしょう。私たちは、その意義と限界をじゅうぶんに批判的に検討してから、それを実践しようとしているでしょうか。だれか権威《けんい》のある人や組織が「ＳＤＧｓはよいもの」といったから、それを実践しようとしているだけではないのか。もしそうだとしたら、現代においても私たちは、『大学』と同じように効率的で調和的で秩序ある「自己と社会の一体化」を望んでいるだけなのではないでしょうか。

参考文献

『大学・中庸』金谷治訳注、岩波文庫、１９９８年

『大学』というテクストを読みたいとき、現在もっとも入手しやすいのはこの岩波文庫版です。

回答3　鳩《はと》のように、そして（しかし）蛇のように――イエスが弟子に与えたアドバイスから……芦名定道

まず、「社会の役に立ちたい」という今の気持ちをこれからも大切にしてください。残念なことに人生を歩む中で、人はしだいにはじめの素直な気持ちを忘れることが少なくありません。初心の素直な思いを持ち続けることが何よりも重要です。

と同時に、社会の役に立つには「社会の役に立つ」とはどういうことかを的確に判断し、問題の核心を見抜くことが不可欠です。こちらも決して容易ではありません。これら二つのどちらか一方では、不十分です。「社会の役に立つ」とはどういうことかを的確に判断できないと、志《こころざし》は立派でも結果的に社会の役に立たないことになりかねません。個人と個人の間の関係でも、相手のことを思って行《おこな》ったことが相手を傷つけてしまう悲劇を私たちもしばしば経験します。愛情の空回り、結局相手を傷つけることになる愛情は、初心の素直な思いを転倒させることになります。

初心の素直な思いを「鳩のような素直さ」と呼ぶならば、それに対して的確な判断力は「蛇のような賢さ」と言うことができるでしょう。ここで、念頭におかれているのは、聖書に収録された次のイエスの言葉です。

「わたしはあなたがたを遣《つか》わす。それは、狼《おおかみ》の群れに羊を送り込むようなものだ。だから、蛇のように賢く、鳩のように素直になりなさい。」

（マタイによる福音書10：16『聖書　新共同訳』日本聖書協会）

これは、イエスが「神の国」をこの世界に伝えるために弟子たちを派遣《はけん》する際に弟子たちに与えたアドバイスです。厳しいこの世の現実（罪）の中に生きる人びとに「神の国」（救い）の到来を宣教《せんきょう》するという困難な任務を果たすには、鳩の素直さと共に、何よりも、蛇の知恵が大切だということです。このイエスのアドバイスは、「社会の役に立ちたい」と考える人にとっても、傾聴《けいちょう》に値《あたい》するものではないでしょうか。

そこで、このイエスのアドバイスにしたがって実際に生きた人物を紹介したいと思います。それは、明治時代から大正時代にかけて活躍《かつやく》した日本人キリスト教徒である内村鑑三《うちむらかんぞう》です。内村鑑三は世界的に有名なキリスト教思想家であり、海外の研究者にも注目されてきた人物です。

ここで取り上げたいのは内村鑑三の戦争論の転換です。内村は日清戦争に際しては、正しい戦争であると考え（義戦論）、「日清戦争の目的如何」（１８９４年）を英語で執筆し、自分の考えを積極的に海外にアピールしました。朝鮮の内政に干渉《かんしょう》する封建《ほうけん》的な清国と戦うことは、欧米の進歩的文明をアジアに紹介し、それによって保守的な東洋を啓蒙《けいもう》するという日本の世界史的使命を果たすことだとの主張です。これは明治政府の近代化路線をキリスト教信仰によって精神的に補完する姿勢と言ってもよいでしょう。

しかし、内村は海外の友人から、また海外の新聞などから得た情報を分析し（内村は科学者でもありました）、日清戦争が朝鮮を解放するものではなく、戦争が悲惨《ひさん》な結果をもたらしたことを知るに至り、戦争に対する認識を大きく改めることになりました。彼は次のように告白しています。「〈義戦〉はほとんど略奪戦《りゃくだつせん》に近きものと化し、その戦争の〈正義〉を唱えた予言者は、今や深い恥辱《ちじょく》のうちにあります」(アメリカの友人ベル宛の書簡より)。この結果、10年後の日露戦争では、次のような戦争反対論(非戦論)を唱えました。

「余は日露非開戦論者であるばかりでない。戦争絶対的廃止論者である。戦争は人を殺すことである。そうした人を殺すことは大罪悪である。そうした大罪悪を犯して、個人も国家も永久に利益を収め得ようはずはない。」

(「戦争廃止論」)

内村の戦争論の変遷《へんせん》を理解する際に外せないのは、内村が「社会の役に立ちたい」と心から願い実践《じっせん》した人であり、自分の信念(キリスト教信仰)に忠実だった点です。それは、聖書の言葉に自分で納得がゆくまで誠実に向き合うという姿勢を通して具体化しました。ライフワークとなる聖書研究です。その結果、内村はイエスが教えた絶対平和思想こそがキリスト教信仰の中心であると確信するようになります。

以上から、内村の戦争論における義戦論から非戦論への転換について、次のようにまとめられるでしょう。内村の非戦論の前提となった日清戦争に関する鋭い社会分析を「蛇の知恵」と位置づけることができるとすれば、聖書研究を通して得られた信仰の素直な確信（聖書的平和思想）は「鳩の素直さ」にほかならない、と。内村鑑三において、イエスの弟子へのアドバイスははっきり具体化されたと言えるでしょう。

ここで、「社会の役に立ちたいのですが、どうすればよいでしょうか？」という問いに議論を戻すならば、どうなるでしょうか。社会の役に立ちたいと願うならば、その願いをしっかり保持しさらに高めること（内村ならば聖書研究に基づく聖書の平和思想へ）、そしてその願いを具体化するために事実を見抜く知恵を磨《みが》くこと（内村ならばさまざまな情報の社会科学的分析に基づく洞察《どうさつ》）、これら二つのポイントを常に念頭におくことが大切なのではないでしょうか。これをまとめれば、「鳩のように、そして（しかし）蛇のように」となります。なお、「鳩のように」は内村の場合はキリスト教信仰に関係づけられていますが、もちろん、現代日本を生きる私たちはそれぞれ自分自身の「鳩のような素直さ」を見つける必要があります。それは、「社会の役に立ちたい」という願いの源にあるもののはずです。

参考文献

内村鑑三『後世への最大遺物・デンマルク国の話』岩波文庫、2011年
非戦論を唱えた内村鑑三のめざす国家像が描かれています。モデルはデンマークです。
関根正雄『内村鑑三』(新装版)清水書院、2014年
内村の生涯と思想を的確にまとめた優れた入門書です。

図7　内村鑑三(国立国会図書館「近代日本人の肖像」より)

8 勉強するのはなんのためでしょうか？

回答1

教えを乞《こ》い、自分を更新する……………………梶原三恵子
――古代インドの「知識」継承の営み

みなさんが「勉強するのはなんのため？」と疑問を抱くことがあるとすれば、必要と思えないことを無理に学ばされているように感じるときでしょう。遠い国の言語、抽象的な数学、複雑な物理学など、なぜ難しいことを多方面にわたって勉強しなければならないのか、と。

たしかに、すぐには役にたたないことが多いかもしれません。今後役にたつときがくるとも限りません。それでも社会が若い人たちに一定の勉強――知識を得る努力――を課している

のは、知識というものが、それを得てからでなければ、必要性も有用性もわからないことが多いからです。勉強は学校のテストのためだけにするものではありません。すこし大げさにいえば、人が生きていく力を得るためなのです。

昔から、知識は力であると考える文化はたくさんありました。安全な場所を見極め、資材と寸法を吟味《ぎんみ》して住まいを確保し、危険な獣や毒を避けながら食料を得て生き延びるためには、さまざまな知識が必要でした。いまでいう地理、物理、数学、気象、医学、生物学などです。また、いずれ必ず死が訪れることを知りつつも絶望せずに生きていくために、哲学、宗教、文学などの知識が求められました。

古代インドでは、バラモンとよばれる知識階級の人々が、特別な霊力をもつ言葉を発することができるとされていました。その言葉で神々に呼びかければ、子孫繁栄《はんえい》や、病気治癒《ちゆ》や、戦争の勝利などの願望が実現するというものです。バラモンはそうした特別な言葉の知識を、自分たちの権力の源として独占していました。紀元前12世紀ごろの、インド最古の文献には、次のようにいわれています。

言葉は四つの足跡であると測られている。それらを霊感あるバラモンたちは知っている。〔四つのうち〕三つは隠して蓄《たくわ》え置かれていて、彼らは〔それらを〕発動させない。〔通常の〕人間たちは言葉の四分の一〔のみ〕を語っている。

〔『リグヴェーダ』1・164・45。〔　〕内はサンスクリット語を和訳した際の補い。以下同じ〕

一方で、文化は進歩します。この詩節の数百年後には、バラモン以外にも、特別な知識をもつ人々が現れ始めました。紀元前6世紀ごろ成立した、「ウパニシャッド」と総称される一連の哲学書には、知識の継承を専門とするバラモン階級の学匠《がくしょう》ですら知らないことを、それ以外の階級の人が知っているという場面がいくつかでてきます。

たとえば次のような物語があります。学識高いことで有名なアールニというバラモンがいました。その息子シュヴェータケートゥが、あるとき王にいくつかの質問をされます。バラモンは世界の知識を独占しているはずでした。ところがこのとき王が尋《たず》ねたのは、バラモンが知らないことばかりだったのです。

「父上から教えを受けましたか」と〔王はシュヴェータケートゥに尋ねた〕。「はい」と〔シュヴェータケートゥは答えた〕。「この世の生きものたちが死にゆくとき、どのように各自が違う道をたどって行くのか、知っていますか」と〔王は尋ねた〕。「いいえ」と〔シュヴェータケートゥは答えた〕。「では、どのようにして〔死んだものたちが〕この世に再び戻ってくるか、知っていますか」と〔王は尋ねた〕。「いいえ」と〔シュヴェータケートゥは答えた〕。（後略）（『ブリハッド・アーラニヤカ・ウパニシャッド』6・2・1―2）

あわせて5つの質問に、シュヴェータケートゥは答えられず、父のもとに帰って、王が問うたようなことをなぜ教えてくれなかったのかと抗議《こうぎ》しました。父アールニは、自分も知らないのだと言い、こう告げます。

「そこ（注―王のところ）へ行って、私たち二人で〔王の弟子となって〕学生の修行生活を行《おこな》って暮らそう」。

（同6・2・4）

王の質問は、人の死後の行き先とその後という、輪廻《りんね》の仕組みに関するものです。当時、輪廻思想は最先端の知識に属していました。アールニやシュヴェータケートゥたちのもつ伝統的なバラモンの知識ではカバーできなかったということになります。そこでアールニは、知識の権威《けんい》たるバラモンの中でも有名な学者であったにもかかわらず、政治と戦争を本来の職務とする王の弟子になるために赴《おもむ》きます。自分が知らないことを知っている人がいるとわかって、知識に関して本来は格下のはずの相手であっても、礼をとって教えを乞い、自分を更新しようとしたのです。

輪廻思想が本当に王族由来だったのかは、実はわかっていません。バラモンが王族に教えを乞うという構図は、話をドラマティックにするために仕立てられたものだとの説もあります。それほど、当時のバラモンがバラモンでない人に教えを乞うというのは、驚くべきことだったのです。

死後どうなるのかという疑問と怖れは、人間にとって根源的なものです。この問題についての知識を更新する営《いとな》みは、その後も積み重ねられてきましたが、いまも解決されてはいません。ただ、現代の私たちは、死後のゆくえに関する疑問に限らず、さまざまな問題について、過去の人類がどう考えてきたのかを学ぶ――勉強する――ことで、数千年分をショートカットしたうえで考えていくことができます。今後の人類社会でも、古くからの問題に加えて、さまざまな未知の問題が生じてくるでしょう。若いうちに先人の知識を学び、新しい局面に応じて、自分を更新し生きていく力をつけてください。

参考文献

『リグ・ヴェーダ讃歌』辻直四郎訳、岩波文庫、1970年

インド最古のテキストの抄訳《しょうやく》です。神々への讃歌《さんか》が、美しい日本語で訳されています。

『ヴェーダ、アヴェスター』辻直四郎編、筑摩世界古典文学全集3、1967年

ウパニシャッドを含むインドの古典と、イランの古典の抄訳が入っています。

回答2　変容して自由になる
──『論語』と『正法眼蔵《しょうぼうげんぞう》』が語る学びの境地

中島隆博

何か目的があって、その手段として勉強するのだとすれば、その目的が実現したら勉強は不要になります。また、手段ですからできるだけ効率よく終わらせるように考えるのが自然だと思います。たとえば、よい大学に入るとか、よい会社に入るという目的はわかりやすいですね。しかし、大学に入ったとしても、次の目的であるよい会社に入るために勉強することでしょうし、会社に入っても、昇進の目的のためにさらに勉強することになり、どこまでもこのタイプの勉強がついてまわります。考えただけで息苦しくなります。

勉強が手段ではなく、それ自体が目的だと考えたらどうなるでしょうか。そして、その結果として思わぬ実りがもたらされるのです。具体的な例を挙げると、人権という概念を勉強して手に入れたとしましょう。人が人であることそれ自体で尊重されることが、この概念の基礎にはあります。植民地を解放していく運動の中で、人権は強力な言葉の武器になりました。フランス革命期に成人男性にのみ認められていた人権は、徐々《じょじょ》に普遍化《ふへんか》されていき、植民者の人権を超えて、被植民者の人権、そして女性や子どもの人権へと拡大されていったのです。つまり、人権という概念を学ぶことは、単に物知りになるというだけでなく、その人の置かれている状況を明らかにし、それを変革していく力にもなったのです。

別の言い方をすると、勉強することはその人の変容に関わることです。ただし、それは知識をひたすら詰め込むことではありません。それではすぐにお腹いっぱいになってしまいますし、場合によっては知識の生活習慣病になってしまいます。そうではなくて、学ぶことによって、今まで自分が世界に対して取っていたあるいは取らされていた態度や習慣を相対化し、別の態度や習慣に自らを開いていき、より自由になることが大事なのです。

ここで『論語』の一節を引いておきましょう。

先生である孔子《こうし》はおっしゃいました。「わたしは十五歳のときに学問に志を立てました。三十歳になって自立できるようになり、四十歳で迷うことがなくなりました。五十歳のときに天が与えた使命がわかるようになり、六十歳になって人の言うことが素直に聞けるようになりました。そして、七十歳になってようやく自分の思うままに行動しても人の道を踏み外すことがなくなりました」と。

（『論語』為政《いせい》）

孔子が勉強しようと思ったのは15歳のときですから、読者のみなさんとそれほど変わらない年齢かもしれませんね。それから30歳になってようやく、誰かの意見に頼ることなく自分の見解を持てるようになったのです。この間に、多くの意見を勉強し検討を加えたことがわかります。それでもなおも迷い続けていたと言います。迷いが振り切れたのは、そこからさらに10年経った40歳になってからでした。孔子はこうして徐々に自由になっていったのです。50歳の時に、天命という天が与えた使命がわかったと言います。これはすごいことですね。

現代の私たちは天命があるとは考えないかもしれませんが、当時は、天という人間を超えたものへの感受性が豊かにあったのです。その天が与えた使命が何であったのかはわかりませんが、仁《じん》という人への思いやりを強調した孔子でしたので、人間社会に寄与するような使命だったのではないでしょうか。

興味深いのはその後です。「天命を知る」ことが究極のことであるように思うのですが、その先があるというのです。「耳順《じじゅん》」と言いますが、60歳になって「人の言うことが素直に聞けるようになりました」というのです。逆に言えば、天命を理解してもなお、人の言うことが素直に聞けないことがあったというわけです。そして70歳になって、孔子はとうとう自由の境地を手に入れます。それは、「自分の思うままに行動しても人の道を踏み外すことがなくなりました」という境地です。それまでは「自分の思うままに行動」すると失敗することがあったということですね。

いかがでしょうか。勉強それ自体が目的である(「学に志す」)ことによって、結果的に自分の態度や習慣が変容し、自由の境地を手に入れるということがイメージできたでしょうか。

もちろん物事はそれほどうまくは進みません。私たちは孔子ではないわけですから。ここでもうひとつ、勉強に大事なことを記しておきます。それは、勉強には必ずメンターが必要だということです。メンターとはよき助言者とか優れた指導者という意味です。教師がその役割を果たすこともありますし、スポーツだとインストラクターとかトレーナーと言われる人々もいます。かつての「師」はそのようなメンターだったと思います。

勉強はそれまでの見方を離れ、自己変容を遂《と》げるものですから、実はなかなかに危険な行為です。それをひとりでやってしまうと、勝手な変容を遂げて、にっちもさっちも行かなくなる場合があります。そこで必要なのが寄り添ってくれるメンターです。メンターは知識を教えるというよりも、一緒になって、ややこしく入り組んだ状態に立ち向かってくれるような人です。

鎌倉時代に曹洞宗《そうとうしゅう》を開いた道元《どうげん》の主著である『正法眼蔵』に「葛藤《かっとう》」という一篇があり、そこに「嗣法《しほう》は葛藤である」とあります。嗣法とは、弟子が受け継ぐ師の法のことで、師と弟子が一緒になって、葛藤に葛藤を嗣《つ》いでいくことが重要だという意味です。私たちはすぐに葛藤を断ち切ろうとしますが、道元はそれを否定して、師すなわちメンターとともに葛藤に向かうべきだと言うのです。

是非《ぜひ》、みなさんにはメンターを見つけていただければと思います。そのような目で見れば、案外身近にいるかもしれません。先輩や後輩、先生や家族・親戚《しんせき》にもいるかもしれません。身近にいなければ、よく下調べをしてから、外に出ていって、ドアをノックしていただければと思います。「啐啄《そったく》」（雛《ひな》が殻《から》を内から破ろうとするちょうどその時に親鳥が外から殻をつつくこと）と言いますが、あなたの求めに応じてドアを開けてくれる人が必ずいるはずです。

参考文献

『論語』金谷治訳注、岩波文庫、1999年

『論語』は春秋時代の孔子の言行を弟子たちが記録したもの。南宋の朱熹《しゅき》（朱子）によって、儒教の重要な経典である四書《ししょ》に入れられました。日本でももっともよく読まれた儒教の書です。

『正法眼蔵　全訳注』増谷文雄訳注、全8巻、講談社学術文庫、2004—2005年

『正法眼蔵』は曹洞宗の開祖である道元が、1231年から没する1253年にかけて著した書物。主に日本語で書かれており、仏法の根本真理を道元が独自に明らかにしたものです。

回答3　知ることの神秘の深みの、もっと深みへ……………………納富信留

——哲人ヘラクレイトスの言葉を聞く

「勉強」っていったい何でしょう？　教科書を理解すること、テストで合格点をとること、あるいは、技能や資格を身につけて社会で生かすこと、そう思っているかもしれません。でも、本当にそれが「学ぶ」ことなのでしょうか？

私はもう60年ちかく生きてきて、大学で研究という勉強をずっとやってきましたが、いまだになにも分かっているという気はしません。「いや、先生は、さまざまなことをたくさん知っているはずです」、そう言われるかもしれません。でも、人生のことも、宇宙のことも、いま目の前にあるこの一輪の花のことだって、なんにも分かっていないのです。

ここに、いま、私が存在する、これはいったいどういうことなのか？

「じゃあ、本やインターネットやそんなツールを検索して、必要な情報や他人の意見を手に入れればいいじゃないですか」。それって、なにかを知ったことになるのでしょうか？

多くの人々は、出会うものについて理解していない。また、学んでも知識としてわかっておらず、自分たちにただそう思われているだけである。

（断片17ＤＫ）

いきなり奇妙な文句を引用しましたが、これは紀元前500年ごろに小アジア（現在のトルコ西部エーゲ海沿い）の都市エフェソスにいた哲人ヘラクレイトスの言葉です。この風変わりな哲学者は、生涯に一巻の本を書いて、それを女神アルテミスの神殿《しんでん》に奉納《ほうのう》したといわれています。その本はやがて失われてしまいましたが、そこに記された謎かけのような短い言葉がいくつも引用され、2500年を経て現代の私たちに伝わっています。

つぎつぎと画面にあらわれる情報の文字列をできるだけすばやく目で追って、一部を記憶したりマークしたりする、それってここで言われる「理解していない」ってことではないでしょうか。でも、私たちはそうしていろんなものを「学ぶ」ことで、なにか賢くなった気になり、よく分かったように感じて満足してしまうのです。

多くを学ぶことは、理解を教えはしない。もしそうでなかったら、ヘシオドスやピュタゴラス、またクセノファネスやヘカタイオスにも教えたことだろう。（断片40）

ヘラクレイトスは、ギリシア社会で最高の知者として尊敬されていた詩人ヘシオドスや、数学の定理の名前でご存知のピュタゴラス、それに同時代の哲学者たちの名前をあげて、かれらはみんな理解なんてしていないと、手きびしく批判しています。当代随一《ずいいち》の知識人たちも、なにも分かってはいない。でも、なぜでしょう。それはどうやら、「多くを学ぶこと」に原因があるようです。

黄金を捜《さが》し求める者は、たくさんの土を掘り返してもほとんど見出さない。（断片22）

さて、みなさんは金を発見しようとして山や原野を、ところかまわずに掘りかえすなんてことをするでしょうか。あらゆるところを掘っても、金の鉱脈には当たりません。そんな努力はむだであり、まちがった方向にむかって一生懸命になって労力を使っているだけのようです。でも、この比喩《ひゆ》を笑っているあなたも、きっとネット上でそんな探索をくりかえしているのではないでしょうか。

では、黄金はなぜ見つからないのでしょう？

自然は隠れることを好む。

（断片１２３）

そう、真実は私たちに見えないところ、いわば隠れた背後にあるからです。自分の目のまえにあるものをどんよくに手にしても、かたっぱしから本を読んでも、ネット情報をつぎつぎにたぐっても、それは空《むな》しい掘りかえしにすぎません。「自然」、つまりこの世界の真実は、隠れている、逃げるという、やっかいな本性《ほんせい》があるからです。では、どうやってそれに近づけるのでしょう？

私は私自身を探し求めた。

（断片１０１）

おどろくべき発言ですね。ヘラクレイトスはこれを過去形で言っており、その探求の結果、なにかを見つけたのか、手に入れたのか、分かったのか、なにも語っていません。ただ、これは、広大な世界のあちこちに手をのばして、多くの知識をかきあつめるというのとはまったくちがう、根本的に異質ななにかをした、ということのようです。

君は、あらゆる途《みち》ゆきを辿《たど》っても、魂の果てを見出《みいだ》せないであろう。それほど深い言葉《ロゴス》を、それは持っている。

（断片45）

深くふかく、もっと深く……どこまでもどこまでも、「私自身」のなかへと没入することで、もしかしたら、なにかが分かるのかもしれません。それは、いままでまったく気づかなかったもの、目のまえにあったのに見えていなかった姿、聞いていたのに理解していなかった言葉、そんなものとの出会いかもしれません。

ヘラクレイトスの難解な言葉を理解するには、エーゲ海デロス島の潜水夫《せんすいふ》よりも深く海の底へと潜《もぐ》らなくてはならない、ソクラテスはそう語ったと伝えられます。太陽の光がとどく海水のさらに下、グラン・ブルーが広がり私たちをつつみこむその神秘の世界へと、私たちは潜っていかなければなりません。たぶんそれが「学ぶ」ということなのでしょう。

最後に、もう一つ、ヘラクレイトスの言葉を聞きましょう。

私にではなく言葉《ロゴス》に聴いて、「すべてが一である」ことに言葉《ロゴス》を共にすることが、知である。

（断片50）

参考文献

廣川洋一『ソクラテス以前の哲学者』講談社学術文庫、1997年

紀元前6世紀初めから前5世紀の間に活躍したギリシアの哲学者たちは、おもに自然や宇宙や存在について思索《しさく》をめぐらせました。彼らは以前は「ソクラテス以前の哲学者」と呼ばれましたが、ヘラクレイトスもその一人でした。本書はその時代の哲学を解説するとともに、残された著作「断片」の翻訳を収めています。

ディールス、クランツ『ソクラテス以前哲学者断片集』全5冊＋別冊、内山勝利編訳、岩波書店、1996―1998年

本節で引用したような「断片」は、著作自体が失われてしまった初期の哲学者たちから、その議論を引用した古代の証言を集めたもので、その代表的な集成がＤＫ（編者たちの頭文字をとった略号）と呼ばれる本書です。ヘラクレイトスの断片と証言は、その第1分冊に収められています。

納富信留『ギリシア哲学史』筑摩書房、2021年

古代ギリシアには、ヘラクレイトス、ソクラテス、プラトン、アリストテレスの他にも多数の独創的な哲学者がいます。本書では紀元前4世紀末までに活躍した33名の哲学者をとりあげ、哲学（フィロソフィアー）が始まった時代を解説します。

図8　ヘラクレイトス像（マリナーリ作、18世紀、写真：123RF）

第3部
10代にすすめる1冊

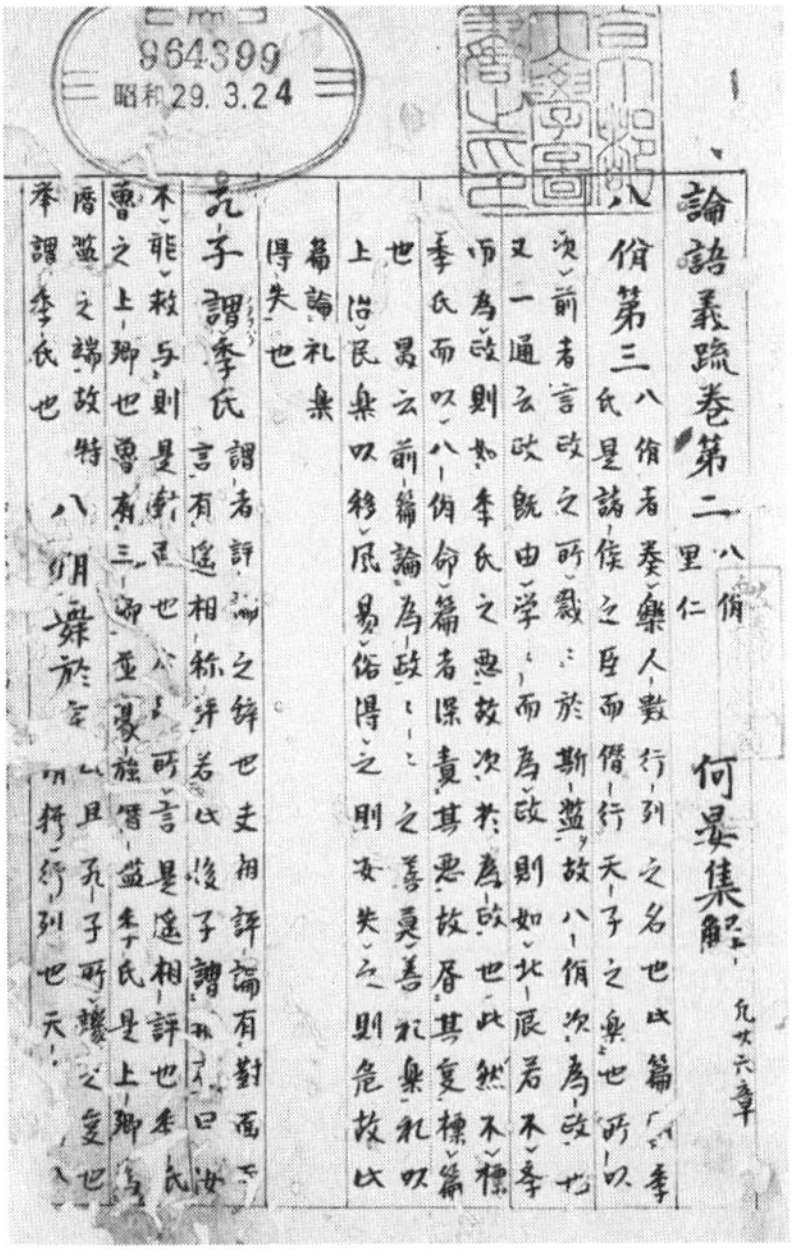

『論語義疏』写本（京都大学附属図書館蔵）部分
魏の何晏の『論語』の解説書『論語集解』に梁の皇侃がさらに解説を加えたもの。中国では失われ、日本で伝えられた。14世紀ごろ。

芦名定道（キリスト教思想）

マルティン・ルター『キリスト者の自由・聖書への序言《じょげん》』

石原謙訳、岩波文庫、1955年

自分らしく生きたい、自由に生きたい。これは人間の心からの願いです。自由は人間にとってとても大切なものですが、改めて自由とは何かと問うとき、これは難問と感じられるのではないでしょうか。ルターはその著書でこの難問を考えるヒントになる議論を行《おこな》っています。ルターは、「キリスト教的な人間」という観点から、人間とは何人にも従属しない自由な君主であると同時に、すべての人に従属する奉仕者《ほうししゃ》であると指摘します。この指摘から、私たちがめざす人間の自由とは、自分の思い通り何でもできるという意味での自由ではなく、他者への配慮（奉仕）を伴うものであると理解できます。そのように理解すれば、ルターの言葉は時代や宗教を超えて、現代日本に生きる私たちにとっても重要なメッセージとなるのではないでしょうか。

ルターに関する読みやすい手引きとして、**徳善義和『マルティン・ルター――ことばに生きた改革者』**（**岩波新書、2012年**）がお勧めです。

小倉紀蔵（東アジア哲学）

『論語《ろんご》』

金谷治訳注、岩波文庫、１９９９年

私としては、中国の古典中の古典『論語』をおすすめしようかな、と思います。特に、10代の女性に読んでほしい。というのは、10代の女性というのはこれから学問をやったり社会に出たりいろんな実践をしたりして、男中心社会のなかでたたかっていかなくてはならないわけじゃないですか。そのときに、なにも武器を持たないままでは、たたかえないんですよ。

『論語』は儒教の古典です。儒教には男尊女卑の思想があるのですが、そこが重要なんです。フェミニズムの人たちのなかには、「儒教は男尊女卑だから悪い思想。だから読む価値もない」と攻撃する人もいるでしょうが、それがダメな考えなんです。儒教がどうやって女を排除して、優秀な男どうしが調和的にうまくしごとをやっていくかということを考えたか、ということを、女性は学ぶべきです。学ぶことによって、男中心社会を根底から解体し、優秀な女性どうしがいかに調和的に高度なしごとをするか、ということを実践してほしいのです。

梶原三恵子（インド学、サンスクリット文献学）

藤井正人・手嶋英貴（編）『ブラフマニズムとヒンドゥイズム』
法藏館、全2巻、2022年

古代から中世インドの宗教、社会、文化について、さまざまな視点から分析した本です。各章がある程度独立しながらゆるやかにつながっているので、興味をひかれた章題があれば、どこからでも読みはじめることができます。古代インド文化の本格的入門書としておすすめです。

風間喜代三『言語学の誕生――比較言語学小史』岩波新書、1978年

サンスクリット語、ギリシア語、ラテン語などの、古いインド・ヨーロッパ語の研究が、どのように始まったかが、わかりやすく解説されています。本書で言及されているサンスクリット語やギリシア語の古典に興味をひかれた人におすすめです。

加藤隆宏（インド思想）

『バガヴァッド・ギーター』上村勝彦訳、岩波文庫、1992年

マハートマ・ガンディー『ガンディーの言葉』

鳥居千代香訳、岩波ジュニア新書、2011年

「あなたの職務は行為そのものにある。決してその結果にはない。」（『ギーター』2・47）

非暴力・不服従のスローガンを掲げて英国からの独立運動を主導したインド独立の父マハートマ・ガンディー（M・K・ガンディー）は、若い頃に留学していた英国で、インドの代表的な聖典『バガヴァッド・ギーター』を読んで感動し、それ以来、座右《ざゆう》の書としてこれを長く愛読しました。ガンディーは『ギーター』から、行為の結果に対する無執着とそこから生まれる無私の行為に学び、これを自らの人生の指針《ししん》としたといいます。

成功や失敗、勝ち負けや損得といった結果にとらわれることなく、今自分がなすべきことのみに専念する。ものごとに対するこのような向き合い方は、何かをやる前から結果を気にしてしまったり、欲に駆られて自分のことだけを考えてしまいがちな私たちにも学ぶべきものがあります。

木村勝彦（宗教学・宗教哲学）

聖アウグスティヌス『告白』上・下

服部英次郎訳、岩波文庫、1976年

大学1年生の夏休みにアウグスティヌスの『告白』を読んだ時の感激は、今も忘れられないものです。哲学史の授業でアウグスティヌスのことを学び、これは何か読んでみるにしかずと思いはしたものの、『神の国』の長大さには怖気《おじけ》づいて選んだのが『告白』でした。夢中になって読み終えた私は、古代に生きた一人の青年の精神的遍歴《へんれき》と成長の記録として、この著作に感銘《かんめい》を受けました。「もうどれほどでしょうか。あすでしょうか。……なぜいまでないのですか。なぜいまがわたしの汚辱《おじょく》の終わりでないのですか」というアウグスティヌスの言葉は、青春期の私にはまったく他人事ではないのでした。一人思い悩んでいるときに聞こえてきた子どもたちの囃子《はやし》言葉「取って読め、取って読め」に導かれて聖書を開き、目に触れた「争いと嫉《そね》みを捨てても、主イエス・キリストを着るがよい」という言葉で回心する場面は美しさに溢《あふ》れています。額《ひたい》に汗を浮かべて読んでいた、あの夏の日の昼下がりのことがありありと思い出されます。悩める10代のみなさんにぜひおすすめしたい名著であり、キリスト教文学の精華《せいか》です。

佐藤弘夫（日本思想史）

『歎異抄《たんにしょう》』

金子大栄校注、岩波文庫、１９８１年

『歎異抄』は鎌倉仏教の祖師の一人である親鸞《しんらん》の言葉を、弟子の唯円《ゆいえん》が書き記したものといわれています。

そこに出てくる有名な言葉に、「悪人正機説《あくにんしょうきせつ》」を説いたとされる、「善人なをもて往生《おうじょう》をとぐ、いはんや悪人をや」という一文があります。善人でさえ極楽浄土に往生できるのだから、悪人が救われないはずはないというこの言葉は、一見すると、悪に染まった日常生活をそのまま肯定し、自堕落《じだらく》な生き方を促《うなが》すもののようにみえます。

しかし、自分の宿業《しゅくごう》をありのままに見据《みす》えた上で、一切《いっさい》を仏に委《ゆだ》ねることのできる者こそが救済の主客であるとする思想は、救いの道から疎外《そがい》され、身分差別に苦しめられていた当時の社会の底辺の人々に勇気を与え、誇りを持った生き方に目覚めさせる役割を果たしました。読む者の問いかけが深ければ深いほど、それにふさわしい解答を与えてくれる、味わい深い一書です。現代語訳されたテキストも、数多く出版されています。

土屋太祐（中国禅宗史）

『臨済録《りんざいろく》』

入矢義高訳注、岩波文庫、1989年

筆者が大学院進学を迷っていたときに、友人に勧められた一冊です。内容はほとんど理解できませんでしたが、「お前自身が仏だ」、「自分を信じろ」と迫るその迫力に圧倒されました。それまで、古代の思想や古典文献がいまひとつ身近に感じられなかったのですが、この本はなにか自分と直接に関係する問題を語っていると思いました。それはおそらく臨済その人の思想だけでなく、訳者である入矢義高の姿勢によるものでもあるでしょう。入矢の翻訳は、中国語の口語に関する研究成果を活用した、正確で読みやすいものです。しかしそれ以上に感銘《かんめい》を受けたのは、その古典に対する姿勢でした。「解説」での「現代のわれわれは、『臨済録』をもっと率直《そっちょく》かつ自由に読んでよい」という言葉は、私にとって大きな励みとなりました。現在は入矢の頃と比べてもさらに研究が進んでいます。『臨済録』に興味を持てたなら、新しい研究成果を反映した本に進んでもらえればと思います。

中島隆博（中国哲学）

『孟子《もうし》』上・下　小林勝人訳注、岩波文庫、上1968年、下1972年

この世には悪が溢《あふ》れているように見えますし、自分もひょっとしたら何かのきっかけで悪を犯してしまうかもしれません。この世を生きる人間にとって善の根拠はないものか。この問いを考え抜いたのが孟子です。人の「性」すなわち「生のあり方」は善である。小さな子どもが井戸に落ちそうになると、ハッとして思わず駆け寄って助けることは、生のあり方が善であることを証明することだ。ただし、それは可能性として備わっているだけで、努力をして善を実現しなければならない。それは、人間が人間的になっていくことに賭《か》けることです。この孟子の考えは、仏教を受け入れた後の儒学（朱子《しゅし》学《がく》や陽明学《ようめいがく》）において、再び脚光《きゃっこう》を浴びます。なぜなら、現世を苦と見る仏教に対抗して、現世において善を実現する手がかりとなったからです。孟子は善悪の問題を考えるヒントを私たちに与えてくれています。その孟子を現代的な文脈で議論したものに、**フランソワ・ジュリアン『道徳を基礎づける――孟子vs.カント、ルソー、ニーチェ』（中島隆博・志野好伸訳、講談社学術文庫、2017年）**があります。ヨーロッパの啓《けい》蒙《もう》の哲学者たちと孟子の対決を読んでいただけたらと思います。

納富信留（西洋古代哲学）

ゲーテ『若きウェルテルの悩み』

竹山道雄訳、岩波文庫、1951年

高校生の頃は、海外文学の小説や戯曲《ぎきょく》や詩集などを、つぎからつぎへと読んでいました。なにか役に立つと思ったことはありませんが、長い時間をへて私の人生の一部になっていると感じます。シェイクスピアや『嵐が丘』、スタンダールが好きでしたが、その後も何度も読み返したという意味で、『若きウェルテルの悩み』が第一の愛読書でした。大学に入った後も、なにか人生に行き詰まったり、気分が鬱積《うっせき》したりすると、思い切って他の作業をやめて、夜更《よふ》けに心構えてこの本を手に取ります。最初のページからこころに爽《さわ》やかな風が吹き抜け、そのまま一気に読み切ります。『オシアン』を読み上げるシーンでは、私も二人と一緒に目に涙をため、そうして読み終えると戸外は日の出前の清澄《せいちょう》な空気に満ちています。若い頃の私は、そうしてウェルテルとともに心を浄《きよ》めて、また新しい一日に臨む、そんな経験をくりかえしていました。いまでも懐《なつ》かしい思い出です。

吉水千鶴子（仏教学）

『平家物語』全4冊

梶原正昭・山下宏明校注、岩波文庫、1999年

これほど日本人の心に受け継がれ、親しまれてきた古典はないのではないでしょうか。アニメにもなりましたし、繰り返しドラマ化されてきました。「祇園精舎《ぎおんしょうじゃ》の鐘の声、諸行無常《しょぎょうむじょう》の響《ひびき》あり。沙羅双樹《さらそうじゅ》の花の色、盛者必衰《じょうしゃひっすい》のことわりをあらはす。」この冒頭は誰しもそらんじているくらいです。平清盛、重盛、時子など平氏だけではなく、源義経、木曽義仲など源氏の武士の活躍も、この物語で語り継がれてきました。昔、小学校1年生くらいの時、神戸に住む叔母を訪ね、母と旅行しました。電車の車窓から、「ここが義経が駆け下りたひよどりごえの坂だよ」と教えられました。子供向けの本かテレビ番組で、私は源平合戦に夢中になっていました。その頃は、戦の勇壮《ゆうそう》さのとりこになっていましたが、その影に幾多《いくた》の悲しみがあることを、この物語は教えてくれます。その心は、後に仏教研究者になった私の心に共鳴し続けています。現代語訳もたくさんあります。でも、気に入った箇所だけでもいい、ぜひ原文でその響きを感じてみてください。

渡邉義浩（古典中国）

『論語集解《ろんごしゅうかい》——魏《ぎ》・何《か》晏《あん》（集解）』上・下

渡邉義浩訳、早稲田文庫、2021年

『論語』は東アジアで最も多くの人々に読まれてきた古典です。10代で読めば10代の、50代で読めば50代の受け止め方ができるでしょう。すべての意味が分からなくても当然です。声を出して元気に読む、これを「素《そ》読《どく》」と言います。江戸時代より日本では、『論語』を素読して人の生き方を考えてきました。『論語集解』はその注と解釈を示した本で、一般に普及している朱子《しゅし》の解釈よりも古い三国時代の何晏の解釈の方が、より孔子の思想に近いと思います。

吉川英治『三国志』全10冊、

新潮文庫、2013年

三国時代については、歴史書の『三国志』よりも、歴史小説の『三国志演義』、演義よりも吉川『三国志』の方が面白く読めます。私は高校生の時にこれを読んで、理系から文系に志望を変え、今に至っています。新潮版は、私が難しい語句に注、最後に解説を付けています。

執筆者紹介

中島隆博（なかじま・たかひろ）
1964 年、高知県生まれ。東京大学大学院人文科学研究科博士課程中退。博士（学術）。東京大学東洋文化研究所教授。悩みに悩んだ 10 代の経験から、哲学することに没頭し、現在にまで至る。最近は世界哲学を主に研究している。著書に『中国哲学史』（中公新書）など。

梶原三恵子（かじはら・みえこ）
1967 年、和歌山県生まれ。大阪大学卒業、ハーバード大学大学院修了、Ph. D. 現在、東京大学大学院人文社会系研究科教授。著書に『古代インドの入門儀礼』（法藏館）、『仏典解題事典』（共編著、春秋社）。専門は古代インドの文化と社会の研究。

納富信留（のうとみ・のぶる）
1965 年、東京都生まれ。東京大学文学部で哲学を学び、英国ケンブリッジ大学古典学部で Ph. D 取得。東京大学大学院人文社会系研究科教授。著書に『ギリシア哲学史』（筑摩書房）、『プラトンとの哲学――対話篇をよむ』（岩波新書）、『ソフィストとは誰か？』（ちくま学芸文庫）など。

吉水千鶴子（よしみず・ちづこ）
1959 年生まれ。学習院大学文学部卒業、東京大学大学院人文科学研究科修士課程・ウィーン大学人文学博士課程修了。哲学博士（Dr. Phil）。筑波大学人文社会系教授。学生時代は山登りと読書に明け暮れ、東洋思想に魅せられてイ

ンドとチベットの仏教を研究。著書に『知の古典は誘惑する』(共著、岩波ジュニア新書)、『西蔵仏教宗義研究』(共著、東洋文庫)など。

芦名定道(あしな・さだみち)
1956年、山形県生まれ。京都大学卒業、同大学院博士後期課程修了。博士(文学)。現在、京都大学名誉教授、関西学院大学神学部教授。キリスト教を中心に宗教思想について広く研究中。著書に『自然神学再考』(晃洋書房)、『現代神学の冒険』(新教出版社)など。

小倉紀蔵(おぐら・きぞう)
1959年、東京都生まれ。東京大学卒業、ソウル大学博士課程単位取得退学。修士(文学)。京都大学教授。専門は東アジア(日本・中国・朝鮮)の哲学、日韓関係の思想。著書に『韓国は一個の哲学である』(講談社学術文庫)など。

加藤隆宏(かとう・たかひろ)
1973年生まれ。東京大学卒業。インド・プネー大学留学後、ドイツ・マルティンルター大学(Dr. Phil)。中部大学准教授を経て東京大学大学院人文社会系研究科准教授。インド思想・サンスクリット文献学が専門。現実の様々な問題解決に向けて、インド哲学からどのような貢献ができるのかを考えている。

木村勝彦(きむら・かつひこ)
1957年、長崎県生まれ。筑波大学卒業、同大学院博士課程修了。博士(文学)。長崎国際大学人間社会学部教授、副学長。専門は宗教の哲学的意味に関する研究、人の死に関わるダークツーリズムの研究。著書に『西欧近代の思想史

像』(共著、勁草書房)、『宗教とツーリズム』(共著、世界思想社)など。

佐藤弘夫（さとう・ひろお）

1953年生まれ。東北大学大学院文学研究科博士前期課程修了。博士(文学)。現在、東北大学大学院文学研究科教授。お墓や霊場・パワースポットが大好きで、時間があれば各地を歩き回っています。著書に『日本人と神』(講談社現代新書)など。

土屋太祐（つちや・たいすけ）

1976年生まれ。四川大学文学与新聞学院博士課程修了。文学博士。現在、新潟大学経済科学部准教授。著書に『北宋禅宗思想及其淵源』(四川出版集団巴蜀書社)。禅の問答に興味を持ち、禅の文献を研究している。

渡邉義浩（わたなべ・よしひろ）

1962年生まれ。筑波大学大学院博士課程歴史・人類学研究科修了、文学博士。早稲田大学文学学術院教授。中学生のとき、吉川英治の『三国志』、なかでも諸葛亮に夢中になり、中国古代への関心を持つ。著書に『三国志が好き！』(岩波ジュニアスタートブックス)、『三国志』『漢帝国』『孫子』(中公新書)、『論語集解――魏・何晏(集解)』『後漢書』(早稲田大学出版部)など。

扉をひらく哲学——人生の鍵は古典のなかにある
岩波ジュニア新書 968

2023 年 5 月 19 日　第 1 刷発行

編著者　中島隆博《なかじまたかひろ》　梶原三恵子《かじはらみえこ》
納富信留《のうとみのぶる》　吉水千鶴子《よしみずちづこ》

発行者　坂本政謙

発行所　株式会社 岩波書店
〒101-8002 東京都千代田区一ツ橋 2-5-5
案内 03-5210-4000　営業部 03-5210-4111
ジュニア新書編集部 03-5210-4065
https://www.iwanami.co.jp/

印刷・三陽社　カバー・精興社　製本・中永製本

ISBN 978-4-00-500968-8　Printed in Japan

岩波ジュニア新書の発足に際して

きみたち若い世代は人生の出発点に立っています。きみたちの未来は大きな可能性に満ち、陽春の日のようにひかり輝いています。勉学に体力づくりに、明るくはつらつとした日々を送っていることでしょう。

しかしながら、現代の社会は、また、さまざまな矛盾をはらんでいます。営々として築かれた人類の歴史のなかで、幾千億の先達《せんだつ》たちの英知と努力によって、未知が究明され、人類の進歩がもたらされ、大きく文化として蓄積されてきました。にもかかわらず現代は、核戦争による人類絶滅の危機、貧富の差をはじめとするさまざまな人間的不平等、社会と科学の発展が一方においてもたらした環境の破壊、エネルギーや食糧問題の不安等々、来るべき二十一世紀を前にして、解決を迫られているたくさんの大きな課題がひしめいています。現実の世界はきわめて厳しく、人類の平和と発展のためには、きみたちの新しい英知と真摯《しんし》な努力が切実に必要とされています。

きみたちの前途には、こうした人類の明日の運命が託されています。ですから、たとえば現在の学校で生じているささいな「学力」の差、あるいは家庭環境などによる条件の違いにとらわれて、自分の将来を見限ったりはしないでほしいと思います。個々人の能力とか才能は、いつどこで開花するか計り知れないものがありますし、努力と鍛錬の積み重ねの上にこそ切り開かれるものですから、簡単に可能性を放棄したり、容易に「現実」と妥協したりすることのないようにと願っています。

わたしたちは、これから人生を歩むきみたちが、生きることのほんとうの意味を問い、大きく明日をひらくことを心から期待して、ここに新たに岩波ジュニア新書を創刊します。現実に立ち向かうために必要とする知性、豊かな感性と想像力を、きみたちが自らのなかに育てるのに役立ててもらえるよう、すぐれた執筆者による適切な話題を、豊富な写真や挿絵とともに書き下ろしで提供します。若い世代の良き話し相手として、このシリーズを注目してください。わたしたちもまた、きみたちの明日に刮目《かつもく》しています。（一九七九年六月）

943 数理の窓から世界を読みとく ―素数・AI・生物・宇宙をつなぐ 初田哲男 柴藤亮介 編著

数学を使いさまざまな事象を理論的に解明する方法、数理。若手研究者たちが数理を共通言語に、瑞々しい感性で研究を語る。

944 自分を変えたい ―殻を破るためのヒント 宮武久佳

いつも同じメンバーと同じ話題。親に勧められた大学に進学し、楽勝科目で単位を稼ぐ。ずっとこのままでいいのかなあ？

945 ヨーロッパ史入門 原形から近代への胎動 池上俊一

古代ギリシャ・ローマから、文化的統合体としてのヨーロッパの成立、ルネサンスや宗教改革を経て、一七世紀末までを俯瞰。

946 ヨーロッパ史入門 市民革命から現代へ 池上俊一

近代国家の成立や新しい思想の誕生、二度の大戦、アメリカや中国の台頭。「古い大陸」ヨーロッパがたどった近現代を考察。

947 〈読む〉という冒険 イギリス児童文学の森へ 佐藤和哉

アリス、プーさん、ナルニア……名作たちは、本当は何を語っている？「冒険」する読みかた、体験してみませんか。

948 私たちのサステイナビリティ ―まもり、つくり、次世代につなげる 工藤尚悟

「サステイナビリティ」とは何かを、気鋭の研究者が、若い世代に向けて、具体例を交えわかりやすく解説する。

949 進化の謎をとく発生学 —恐竜も鳥エンハンサーを使っていたか 田村宏治

進化しているのは形ではなく形作り。キーワードは、「エンハンサー」です。進化発生学をもとに、進化の謎に迫ります。

950 漢字ハカセ、研究者になる 笹原宏之

著名な「漢字博士」の著者が、当て字、国字、異体字など様々な漢字にまつわるエピソードを交えて語った、漢字研究者への成長記。

951 作家たちの17歳 千葉俊二

太宰も、賢治も、芥川も、漱石も、まだ「文豪」じゃなかった――十代のころ、彼らは何に悩み、何を決意していたのか？

952 ひらめき！ 英語迷言教室 —ジョークのオチを考えよう 右田邦雄

ユーモアあふれる英語迷言やひねりのきいたジョークのオチを考えよう！ 笑いながら英語力がアップする英語トレーニング。

953 大絶滅は、また起きるのか？ 高橋瑞樹

生物たちの大絶滅が進行中？ 過去五度あった大絶滅とは？ 絶滅とはどういうことでなぜ問題なのか、様々な生物を例に解説。

954 いま、この惑星で起きていること 気象予報士の眼に映る世界 森さやか

世界各地で観測される異常気象を気象予報士の立場で解説し、今後を考察する。雑誌『世界』で大好評の連載をまとめた一冊。

955 世界の神話 躍動する女神たち 沖田瑞穂

強い、怖い、ただでは起きない、変わってる⁉ 世界の神話や昔話から、おしとやかなイメージをくつがえす女神たちを紹介！

956 16テーマで知る 鎌倉武士の生活 西田友広

鎌倉武士はどのような人々だったのでしょうか？ 食生活や服装、住居、武芸、恋愛など様々な視点からその姿を描きます。

957 〝正しい〟を疑え！ 真山 仁

不安と不信が蔓延する社会において、自分を信じて自分らしく生きるためには何が必要なのか？ 人気作家による特別書下ろし。

958 津田梅子―女子教育を拓く 髙橋裕子

日本の女子教育の道を拓き、シスターフッドを体現した津田梅子の足跡を、最新の研究成果・豊富な資料をもとに解説する。

959 学び合い、発信する技術―アカデミックスキルの基礎 林 直亨

アカデミックスキルはすべての知的活動の基盤。対話、プレゼン、ライティング、リーディングの基礎をやさしく解説します。

960 読解力をきたえる英語名文30 行方昭夫

英語力の基本は「読む力」。先生と生徒の対話形式で、新聞コラムや小説など、とっておきの例文30題の読解と和訳に挑戦！

961 森鷗外、自分を探す　出口智之
文豪で偉い軍医の天才？　激動の時代の感覚に立って作品や資料を読み解けば、自分探しに悩む鷗外の姿が見えてくる。

962 巨大おけを絶やすな！　―日本の食文化を未来へつなぐ　竹内早希子
しょうゆ、みそ、酒を仕込む、巨大な木おけ。途絶えかけた大おけづくりをつなぎ、その輪を全国に広げた奇跡の奮闘記！

963 10代が考えるウクライナ戦争　岩波ジュニア新書編集部編
この戦争を若い世代はどう受け止めているのでしょうか。高校生達の率直な声を聞き、平和について共に考える一冊です。

964 ネット情報におぼれない学び方　梅澤貴典
新しい時代の学びに即した情報の探し方や使い方、更にはアウトプットの方法を図書館司書の立場からアドバイスします。

965 10代の悩みに効くマンガ、あります！　トミヤマユキコ
悩み多き10代を多種多様なマンガを通してお助けします。萎縮したこころとからだがふわっと軽くなること間違いなしの一冊。

966 新種発見物語　―足元から深海まで11人の研究者が行く！　島野智之編著　脇司
虫、魚、貝、鳥、植物、菌など未知の生物の探究にワクワクしながら、分類学の基礎も楽しく身につく、濃厚な入門書。